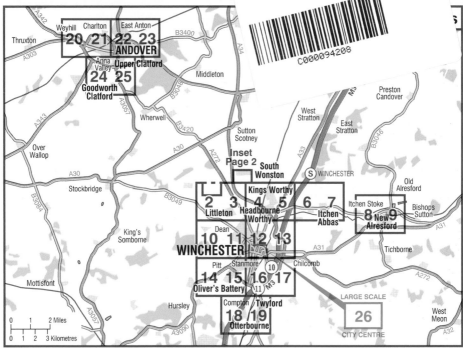

Reference

Motorway	M3	**Railway**	Level Crossing / Station
A Road	A33	**Heritage Railway**	Station
B Road	B3040	**Built Up Area**	WEST ST.
Dual Carriageway		**Local Authority Boundary**	
One Way Street Traffic flow on A roads is indicated by a heavy line on the driver's left.		**Postcode Boundary**	
Large Scale Pages Only		**Map Continuation** 12	Large Scale City Centre 26
Restricted Access		**Car Park** Selected	P
Pedestrianized Road		**Church or Chapel**	†
Track & Footpath		**Fire Station**	■
Residential Walkway		**Hospital**	H
		House Numbers A & B Roads only	113 98

Information Centre	ℹ
National Grid Reference	450
Police Station	▲
Post Office	★
Toilet	▽
With facilities for the Disabled	♿
Educational Establishment	
Hospital or Hospice	
Industrial Building	
Leisure or Recreational Facility	
Place of Interest	
Public Building	
Shopping Centre or Market	
Other Selected Buildings	

SCALES

Map Pages 2-25	1:15,840	4 inches to 1 mile	Map Page 26	1:7,920	8 inches to 1 mile

0 — ¼ — ½ Mile
0 — 250 — 500 — 750 Metres
6.31 cm to 1 km   10.16 cm to 1 mile

0 — ⅛ — ¼ Mile
0 — 100 — 200 — 300 Metres
12.63 cm to 1 km   20.32 cm to 1 mile

Copyright of Geographers' A-Z Map Company Limited

Head Office :
Fairfield Road, Borough Green, Sevenoaks, Kent TN15 8PP
Tel: 01732 781000 (General Enquiries & Trade Sales)
Showrooms :
44 Gray's Inn Road, London WC1X 8HX
Tel: 020 7440 9500 (Retail Sales)
www.a-zmaps.co.uk

Ordnance Survey® This product includes mapping data licensed from Ordnance Survey® with the permission of the Controller of Her Majesty's Stationery Office.
© Crown Copyright 2001. Licence number 100017302
EDITION 2 2001
Copyright © Geographers' A-Z Map Co. Ltd. 2001

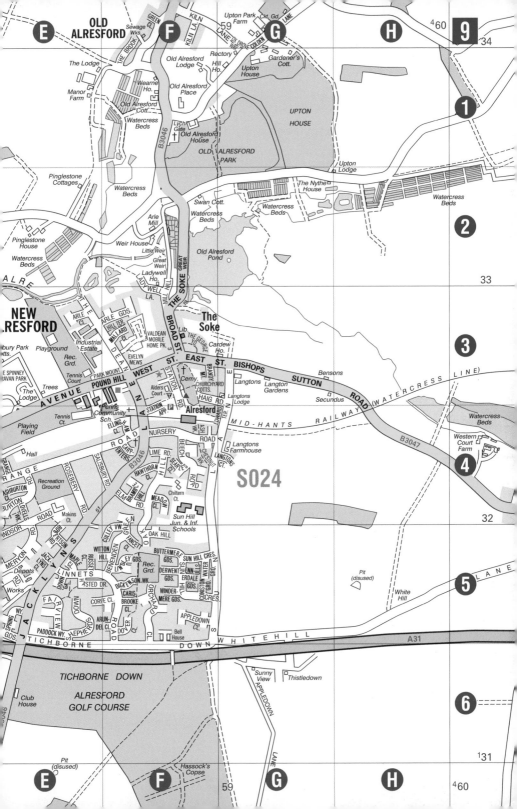

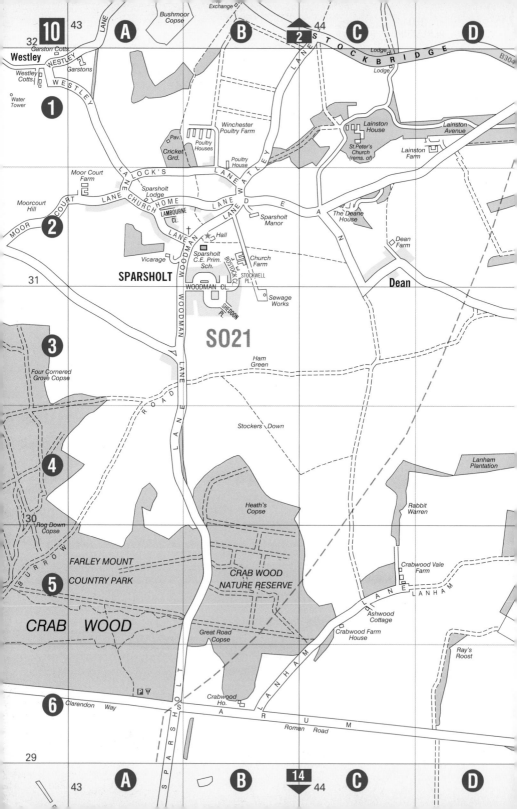

Roman Road

A **B** 44 **C** **D**

10

1

LANE

ENMILL

Enmill
House

Enmill
Bungalow

Enmill
Barn

Enmill
Cottage

Vale
Farm

The
Strawberry
Fields

2

Enmill
Farm

Pit
View

Sunbe

L A

28

White
House

A3090

Grovelands
Copse

3

Yew
Tree

ROMSEY

Reservoir
(covered)

MILLERS

Pitt
Copse

Stopham's
Copse

Larkfarm
Plantation

FARLEY
MT.
RD.

4

HOLT

SPAR

Standon
Fm.

A3090

Juniper
Bank

Nan Trodd's
Hill

Down
Farm

Standon

5

Butcher's
Plantation

SO21

6

Chalk
Pit

26

PORT

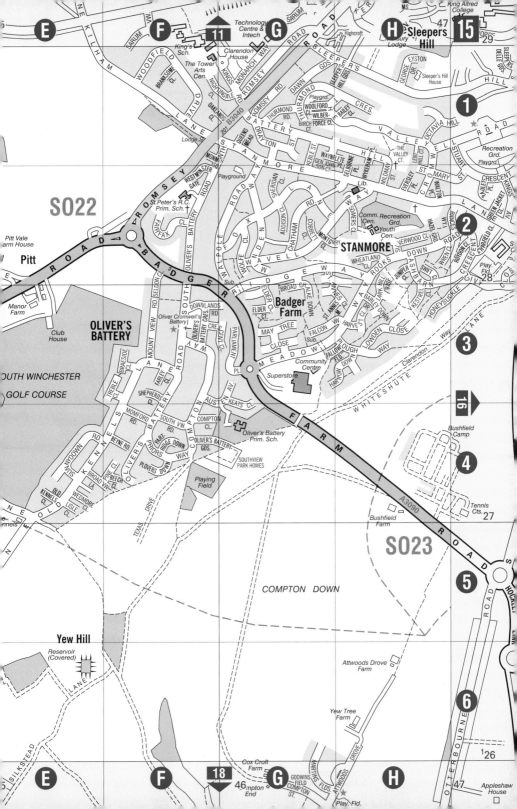

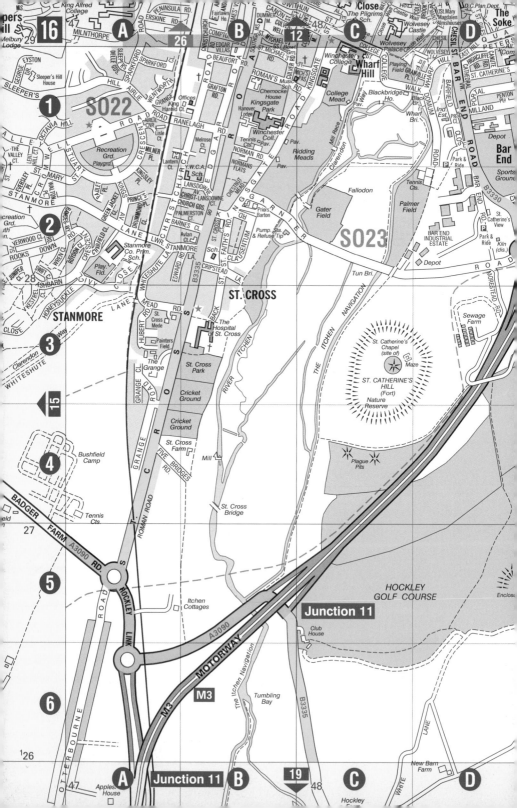

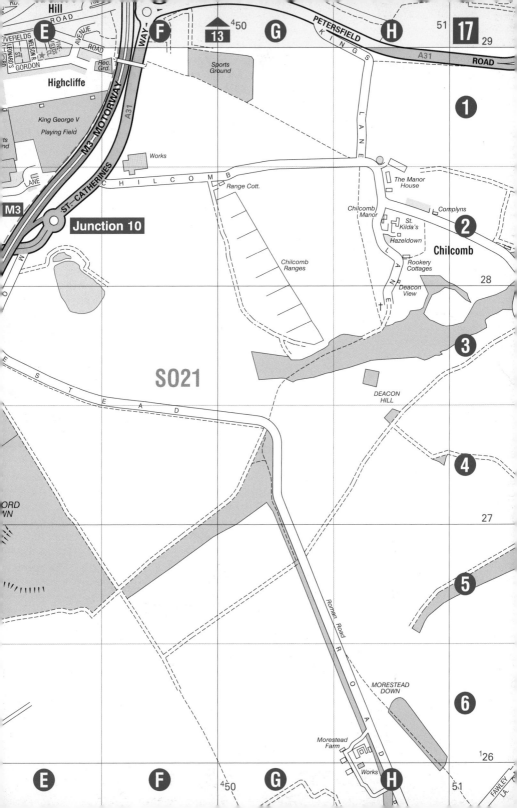

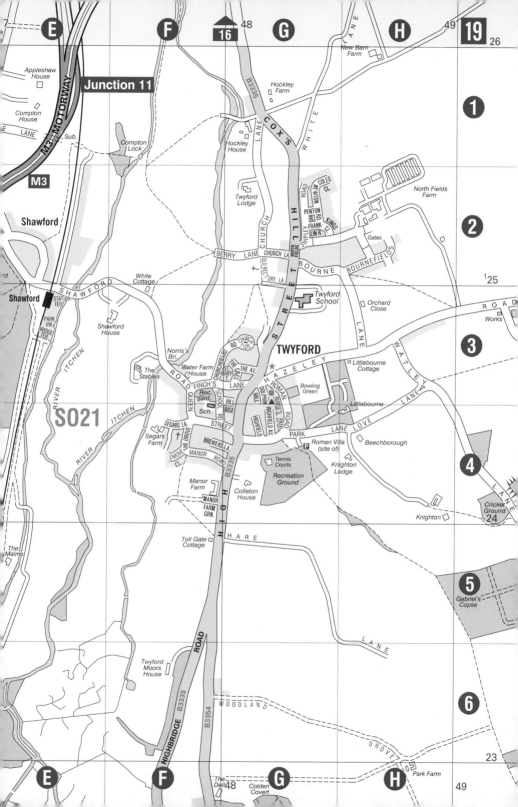

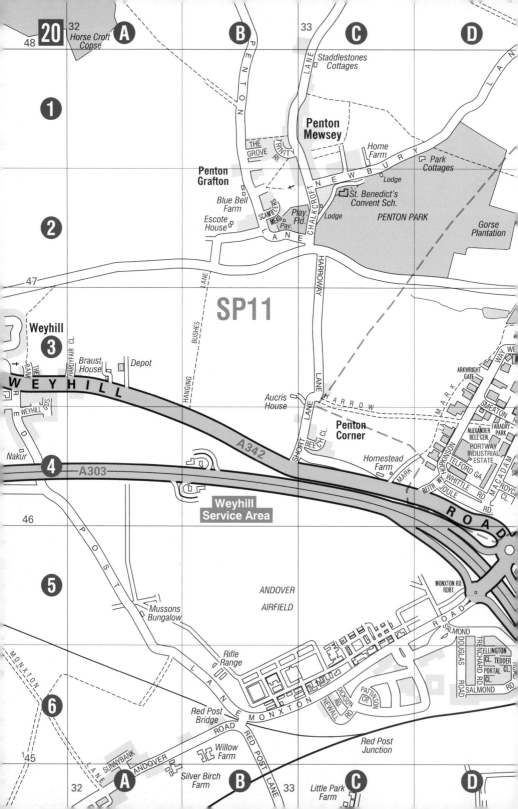

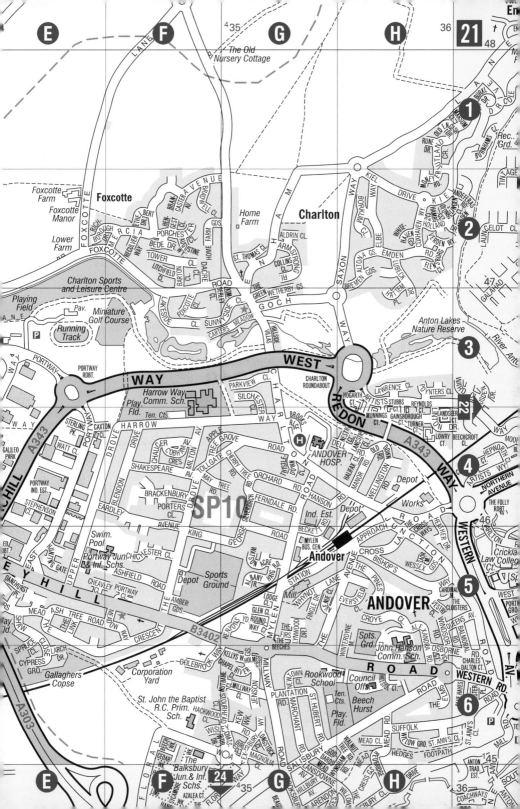

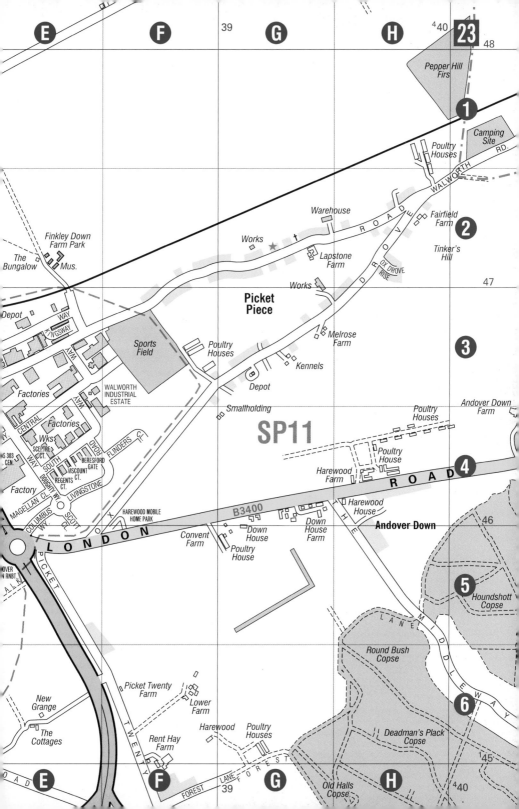

A A303

B The Balksbury Jun. & Inf. Schs.

21

C

D

SUFFOLK

MEAD CL.

ANDOVE

SP10

Little-Ann
Bridge Farm

FLORAL WAY

FLORAL

HOLLY WK.

LIME WK.

HANOVER CL.

MAPLE WK.

HAZEL CL.

PINE WK.

SYCAMORE WK.

AZALEA CT.

The Hexagon

FLORAL WAY

MIMOSA CT.

SALISBURY

LEYTON

ROAD BALKSBURY

BALKSBURY RD.

KEM

FLINT CLOSE

MITT

BARN

MAGNOLIA WAY

WISLEY

Rooksbury
Mill

WATER MILLS CL.

FARM RD.

**Anna
Valley**

SALISBURY

Abbots
Law

CATTLE LANE

Little Ann
Bridge

44

SALISBURY RD.

A343

Hatchery

Sub.

Balksbury Hill
IND. EST.

BALKSBURY HILL

Pillhill Brook

LANE NORMAN

A303

Orch
Ha

CHESTNUT

PICTON

BARLOW

Ford

FOUNDRY

VALLEY MEAD

TASKERS DRIVE

Poultry
Houses

WATERLOO TER.

HIGHBURY RD.

ROAD

MANOR RD.

Buryhill
Farm

WATER

GILBERTS
MEAD CL.

KINGS MEAD

BROOKWAY

WHITE OAK WY.

BURY HILL CL.

CLATFORD RD.

MANOR RD.

SAM WHITES HILL

VALLEY RI.

ABOVE TOWN

THE CRESCENT

CHURCH LANE

COURT

**Upper
Clatford**

Fishing
Cottage

Bury
Hill

Norman
Court
Farm

R I C E

Rectory

SP11

43

Playing
Field

Pav.

Briar
Hill

Home
Farm

6 **Redrice**

Horse
Meadow

FULLERTON

42 North
Lodge

STOCKBRIDGE RD.

South
Lodge

**Goodworth
Clatford**

Cla

THE
CRESCE

Pav

Rec.
Grd.

A 34

B

⁴35

C Barrow Hill
Farm

BARROW

**Barrow
Hill**

D

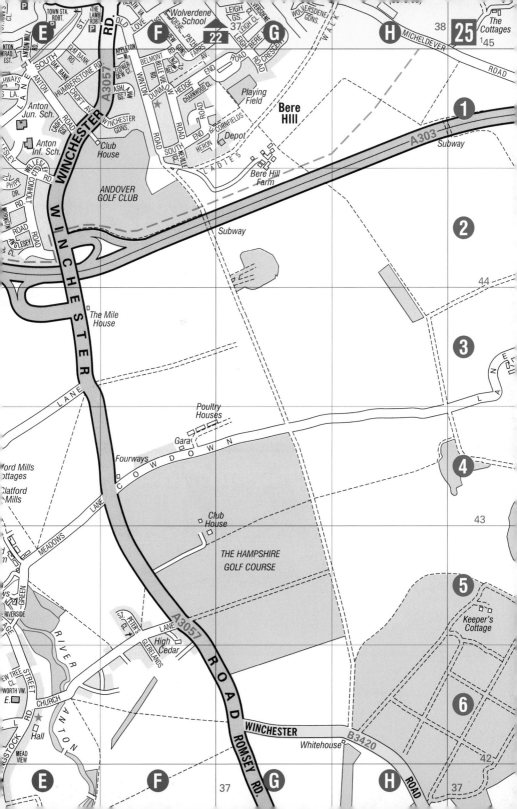

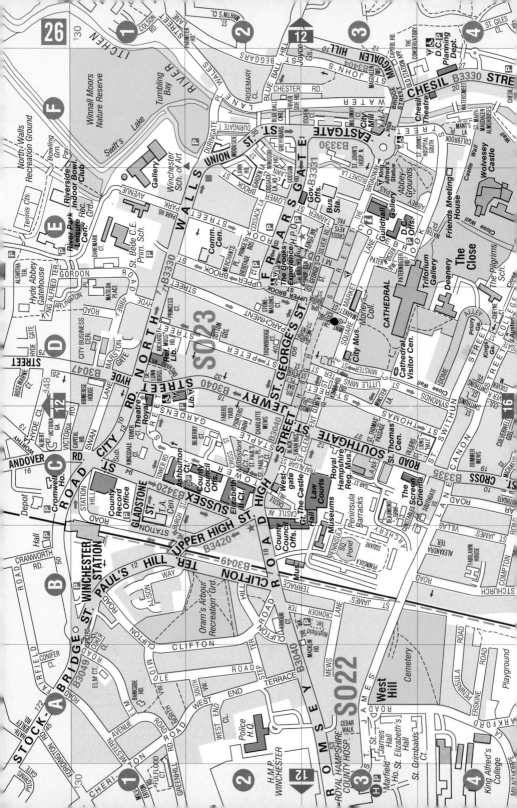

INDEX

Including Streets, Places & Areas, Industrial Estates, Selected Subsidiary Addresses
and Selected Places of Interest.

HOW TO USE THIS INDEX

1. Each street name is followed by its Posttown or Postal Locality and then by its map reference; e.g. Abbey Hill Rd. *Win* —3B **12** is in the Winchester Posttown and is to be found in square 3B on page **12**. The page number being shown in bold type.
   A strict alphabetical order is followed in which Av., Rd., St., etc. (though abbreviated) are read in full and as part of the street name;
   e.g. Ashurst Clo. appears after Ash Tree Rd. but before Ash Wlk.

2. Streets and a selection of Subsidiary names not shown on the Maps, appear in the index in *Italics* with the thoroughfare to which it is connected shown in brackets;
   e.g. *Alton Ct. Win* —3C **12** (off Northlands Dri.)

3. Places and areas are shown in the index in **bold type**, the map reference referring to the actual map square in which the town or area is located and not to the place name; e.g. **Andover.—5H 21**

4. An example of a selected place of interest is Andover Golf Club. —1E **25**

5. Map references shown in brackets; e.g. Abbey Pas. *Win* —6C **12** (4E **26**) refer to entries that also appear on the large scale page **26**.

GENERAL ABBREVIATIONS

All : Alley
App : Approach
Arc : Arcade
Av : Avenue
Bk : Back
Boulevd : Boulevard
Bri : Bridge
B'way : Broadway
Bldgs : Buildings
Bus : Business
Cvn : Caravan
Cen : Centre
Chu : Church
Chyd : Churchyard
Circ : Circle
Cir : Circus
Clo : Close
Comn : Common
Cotts : Cottages

Ct : Court
Cres : Crescent
Cft : Croft
Dri : Drive
E : East
Embkmt : Embankment
Est : Estate
Fld : Field
Gdns : Gardens
Gth : Garth
Ga : Gate
Gt : Great
Grn : Green
Gro : Grove
Ho : House
Ind : Industrial
Info : Information
Junct : Junction
La : Lane

Lit : Little
Lwr : Lower
Mc : Mac
Mnr : Manor
Mans : Mansions
Mkt : Market
Mdw : Meadow
M : Mews
Mt : Mount
Mus : Museum
N : North
Pal : Palace
Pde : Parade
Pk : Park
Pas : Passage
Pl : Place
Quad : Quadrant
Res : Residential
Ri : Rise

Rd : Road
Shop : Shopping
S : South
Sq : Square
Sta : Station
St : Street
Ter : Terrace
Trad : Trading
Up : Upper
Va : Vale
Vw : View
Vs : Villas
Vis : Visitors
Wlk : Walk
W : West
Yd : Yard

POSTTOWN AND POSTAL LOCALITY ABBREVIATIONS

Abb W : Abbots Worthy
Abb A : Abbotts Ann
Alr : Alresford
And : Andover
And D : Andover Down
Anna V : Anna Valley
Avtn : Avington
Bish S : Bishops Sutton
Bram : Brambridge
Charl : Charlton
Chilc : Chilcomb
Cla : Clanville

Col C : Colden Common
Comp : Compton
Cot : Cottonworth
Estn : Easton
Fobd : Fobdown
Good C : Goodworth Clatford
Highb : Highbridge
Hurs : Hursley
It Ab : Itchen Abbas
It Sto : Itchen Stoke
King W : Kings Worthy
L Pk : Little Park

Longp : Longparish
Mart W : Martyr Worthy
More : Morestead
Old Al : Old Alresford
Ott : Otterbourne
P Cnr : Penton Corner
Pen G : Penton Grafton
Pen H : Penton Harroway
Pen M : Penton Mewsey
Pic P : Picket Piece
P Twen : Picket Twenty
Red P : Red Post Bridge

Shaw : Shaw
Sman : Smannell
S Won : South Wonston
Spar : Sparsholt
Twy : Twyford
Up Cl : Upper Clatford
Wal I : Walworth Ind. Est.
W'hll : Weyhill
Wher : Wherwell
Win : Winchester
Wor D : Worthy Down

INDEX

Abbey Hill Clo. *Win* —3C **12**
Abbey Hill Rd. *Win* —3B **12**
Abbey Pas. *Win* —6C **12** (4E **26**)
Abbotstone Rd. *Fobd* —1C **8**
Abbots Worthy. —5F 5
Abbotts Ann Rd. *Win* —2H **11**
Abbotts Clo. *Win* —3C **12**
Abbotts Ct. *Win* —3B **12**
Abbotts Rd. *Win* —3C **12**
Above Town. *Up Cl* —3C **24**
Acorn Clo. *Win* —3H **11**
Acre Ct. *And* —5B **22**
Acre Path. *And* —5B **22**
Addison Clo. *Win* —2G **15**
Adelaide Rd. *And* —5B **22**
Admirals Way. *And* —5H **21**
Agricola Wlk. *And* —2B **22**
Airlie Corner. *Win* —1A **16**
Airlie Rd. *Win* —1A **16**
Albany Rd. *And* —5G **21**
Albert Ct. *Win* —4B **12** (1C **26**)
Alders Ct. *Alr* —3F **9**
Aldrin Clo. *Charl* —2G **21**
Alexander Bell Cen. *And* —4D **20**
Alexandra Rd. *And* —5H **21**
Alexandra Ter. *Win* —6B **12** (4B **26**)
Alison Way. *Win* —5B **12** (1B **26**)
Alresford Golf Course. —6E 9
Alresford Rd. *Win* —6D **12** (2F **26**)

Alswitha Ter. *Win* —4C **12** (1E **26**)
Altona Gdns. *And* —2H **21**
Alton Ct. Win —3C **12**
(off Northlands Dri.)
Amber Gdns. *And* —5F **21**
Amport Clo. *Win* —2G **11**
Andeferas Rd. *And* —2A **22**
Anders Rd. *S Won* —1D **2**
Andover. —5H 21
Andover Down. —4H 23
Andover Down Roundabout. *And*
—5E **23**
Andover Golf Club. —2F **25**
Andover Mus. —5B **22**
Andover Rd. *Win* —2A **12** (1C **26**)
Andover Rd. N. *Win* —6H **3**
Andover Rd. Retail Pk. *Win* —4B **12**
Anglesey Clo. *And* —2E **25**
Anna Valley. —3B 24
Anton Mill Rd. *And* —1E **25**
Anton Rd. *And* —1E **25**
Anton Trad. Est. *And* —6A **22**
Appledown Clo. *Alr* —5F **9**
Appledown La. *Alr* —6G **9**
Appleshaw Clo. *Win* —1H **11**
Appleton M. *And* —1F **25**
Apple Tree Gro. *And* —4F **21**
Apsley Clo. *And* —2D **24**
Arbour Ct. *Win* —2B **26**

Archery La. *Win* —6B **12** (3B **26**)
Arkwright Ga. *And* —3D **20**
Arlebury Pk. *Alr* —3D **8**
Arle Clo. *Alr* —3E **9**
Arle Gdns. *Alr* —3F **9**
Arlington Pl. *Win* —1D **26**
Armstrong Clo. *S Won* —1D **2**
Armstrong Ri. *Charl* —2G **21**
Arthur Rd. *Win* —4C **12**
Artists Way. *And* —3H **21**
Arundel Clo. *Alr* —5E **9**
Ashbarn Cres. *Win* —2H **15**
Ashburton Clo. *Alr* —4E **9**
Ashburton Gdns. *Alr* —4E **9**
Ashburton Rd. *Alr* —4E **9**
Ashfield Rd. *And* —5F **21**
Ashlawn Gdns. *And* —1F **25**
Ashley Clo. *Win* —2G **11**
Ashmore Rd. *Win* —4G **11**
Ash Tree Rd. *And* —5E **21**
Ashurst Clo. *Win* —2H **11**
Ash Wlk. *Alr* —4F **9**
Atholl Ct. *And* —2A **22**
Attwoods Drove. *Comp* —1C **18**
Augustine Way. *Charl* —2F **21**
Augustus Wlk. *And* —2B **22**
Austen Av. *Win* —3F **15**
Austen Clo. *Win* —3C **12**
Avenue Clo. *And* —5G **21**
Avenue Rd. *Win* —5A **12** (1A **26**)

Avenue, The. *Alr* —4D **8**
Avenue, The. *And* —5G **21**
Avenue, The. *Twy* —3G **19**
Avington Pk. —6E **7**
Avlan Ct. *Win* —2B **16**
Avon Cl. *And* —3C **22**
Azalea Ct. *And* —1B **24**

Back St. *Win* —3B **16**
Badger Farm. —3G 15
Badger Farm Rd. *Win* —2F **15**
(in two parts)
Baigent Clo. *Win* —5E **13**
Bailey Clo. *Win* —1H **15**
Balksbury Hill. *Up Cl* —1B **24**
Balksbury Hill Ind. Est. *Up Cl* —2C **24**
Balksbury Rd. *Up Cl* —2C **24**
Balmoral Rd. *And* —5A **22**
Bankside Ho. *Win* —5A **12** (1A **26**)
Barcelona Clo. *And* —4B **22**
Bar End Ind. Est. *Win* —2D **16**
Bar End Rd. *Win* —1D **16**
(in two parts)
Barfield Clo. *Win* —1D **16**
Baring Clo. *It Ab* —4G **7**
Baring Rd. *Win* —6D **12**
Barley Down Dri. *Win* —3H **15**
Barlows La. *And* —2D **24**

A-Z Winchester **27**

Barnes Clo.—Drake Ct.

Barnes Clo. *Win* —2A **16**
Barnfield Ri. *And* —1C **24**
Barrow Hill. —6D 24
Barrow Hill. *Good C* —6C **24**
Bartholomew Clo. *Win* —4C **12**
Barton Clo. *Charl* —2F **21**
Basingstoke Rd. *King W & Abb W*
—5F **5**
Basingstoke Rd. *Old Al* —1F **9**
Batchelor's Barn Rd. *And* —5C **22**
Battery Hill. *Win* —1G **15**
Beales Clo. *And* —5B **22**
Beatty Ct. *And* —5D **22**
Beaufort Rd. *Win* —1B **16**
Beaulieu Clo. *Win* —5H **21**
Beaumaris Clo. *And* —1C **24**
Beaumont Grn. *Win* —3C **26**
Beckett Rd. *And* —5G **21**
Bede Dri. *Charl* —2F **21**
Bedfield La. *Win* —6D **4**
Bedser Sq. *And* —2B **22**
Beech Clo. *P Cnr* —4C **20**
Beech Clo. *Win* —4F **15**
Beech Copse. *Win* —4F **11**
Beechcroft Rd. *And* —4A **22**
Beeches, The. *And* —5G **21**
Beech Rd. *Alr* —4F **9**
Beech Wlk. *And* —6F **21**
Beggars La. *Win* —5D **12** (2F **26**)
Bellevue Rd. *And* —1F **25**
Bell Ho. *Alr* —5F **9**
Bell Rd. *And* —5C **22**
Belmont Clo. *And* —1F **25**
Belmont Rd. *And* —1F **25**
Benbow Ct. *And* —5F **22**
Benenden Grn. *Alr* —5F **9**
Bentley Clo. *King W* —5D **4**
Bercote Clo. *Win* —6F **3**
Bere Clo. *Win* —3H **11**
Bere Hill. —1F 25
Bere Hill Cres. *And* —6C **22**
Beresford Clo. *And* —2E **25**
Beresford Ga. *And* —4E **23**
Bereweeke Av. *Win* —2A **12**
Bereweeke Clo. *Win* —4A **12**
Bereweeke Rd. *Win* —4A **12**
Bereweeke Way. *Win* —3A **12**
Berry La. *Twy* —2F **19**
Beyne Rd. *Win* —4F **15**
Bilbao Ct. *And* —4D **22**
Bilberry Ct. *Win* —5B **12** (2C **26**)
Birch Ct. *Win* —1G **15**
Birinus Rd. *And* —4C **12**
Bishops Sutton Rd. *Alr* —3G **9**
Bishop's Way. *And* —5H **21**
Blackbird Ct. *And* —2B **22**
Blacksmiths Roundabout. *And* —4B **22**
Black Swan Bldgs. *Win* —2C **26**
Black Swan Yd. *And* —5B **22**
Blackthorn Clo. *S Won* —1B **2**
Blackwell Rd. *Wor D* —2B **2**
Blakes Ct. *And* —4A **22**
Blendon Dri. *And* —4F **21**
Blue Ball Corner. *Win* —2F **26**
Blue Ball Hill. *Win* —5D **12** (2F **26**)
Blue Hayes Clo. *And* —6A **22**
Borden Gates. *And* —6A **22**
Borkum Clo. *And* —2H **21**
Borman Way. *S Won* —1D **2**
Borsberry Clo. *And* —5B **22**
Boscobel Rd. *Win* —4C **12**
Boscowen Clo. And —5D **22**
(off London Rd.)
Bostock Clo. *Spar* —2B **10**
Bourne Clo. *Ott* —5C **18**
Bourne Clo. And —3C **22**
(off River Way)
Bournefields. *Twy* —2H **19**
Bourne La. *Twy* —2G **19**
Boyne Mead Rd. *King W* —4D **4**
Boyne Ri. *King W* —3D **4**
Bracher Clo. *Win* —5B **22**
Brackenbury. *And* —5F **21**
Bradley Peak. *Win* —4G **11**
Bradley Rd. *Win* —2G **11**
Bradman Sq. And —2B **22**
(off Cricketers Way)
Bradwell Clo. *Charl* —2F **21**
Braeside Clo. *And* —3F **15**
Bramble Hill. *Alr* —4F **9**
Bramshaw Clo. *Win* —2G **11**
Brancaster Av. *Charl* —2F **21**
Brandy Mt. *Alr* —3F **9**
Branksome Clo. *Win* —1F **15**
Brassey Rd. *Win* —4B **12**
Braxton Ho. *Win* —4E **13**

Bremen Gdns. *And* —2H **21**
Brewers La. *Twy* —4F **19**
Bridge Rd. *Alr* —4D **8**
Bridge St. *And* —6A **22**
Bridge St. *Win* —6D **12** (3F **26**)
Bridge Ter. *Shaw* —3E **19**
Bridgetts La. *Mart W* —1H **5**
Broad Chalke Down. *Win* —3G **15**
Broad St. *Alr* —3F **9**
Broad Vw. La. *Win* —4E **15**
Broadway, The. And —6A **22**
(off Western Rd.)
Broadway, The. *Win* —6C **12** (3E **26**)
Brooke Clo. *King W* —3D **4**
Brooklyn Clo. *Ott* —6C **18**
Brooks Experience, The. —2E **26**
Brooks Ri. *And* —4G **21**
Brooks Shop. Cen., The. *Win*
—5C **12** (2E **26**)
Brook, The. *Old Al* —1F **9**
Brookway. *Anna V* —3A **24**
Browning Dri. *Win* —5H **11**
Brunel Ga. *And* —3D **20**
Burdock Clo. *Good C* —6D **24**
Buriton Rd. *Win* —1H **11**
Burkal Dri. *And* —1A **22**
Burley Rd. *Win* —1H **11**
Burne Clo. *Wor D* —1H **3**
Burnett Clo. *Win* —3G **11**
Burnhams Clo. *And* —1A **22**
Burns Clo. *S Won* —1D **2**
Burrow Rd. *Spar* —5A **10**
Bury Hill Clo. *Anna V* —3B **24**
Busket La. *Win* —6C **12** (3E **26**)
Buttermere Gdns. *Alr* —5F **9**
Butts Clo. *Win* —4H **11**
Byng Wlk. *And* —5D **22**
Byron Av. *Win* —5H **11**

Caerleon Dri. *And* —1A **22**
Caesar Rd. *And* —2B **22**
Calder Clo. *And* —3C **22**
Camelot Clo. *And* —3C **22**
Campion Way. *King W* —5E **5**
Canon St. *Win* —6B **12** (4C **26**)
Canute Rd. *Win* —1D **16**
Capital Ho. *Win* —1C **26**
Cardinal M. *And* —5H **21**
Carisbrooke Clo. *Alr* —5F **9**
Carmans La. *Comp* —1D **18**
Carpenters. *Alr* —4F **9**
Carters Wlk. *Charl* —3F **21**
Castle Av. *Win* —5B **12** (2C **26**)
Castle Hill. *Win* —5B **12** (2C **26**)
Castle Ri. *King W* —2E **5**
Cathedral Vw. *Win* —1D **16**
Cattle La. *Abb A* —2A **24**
Cavendish Gro. *Win* —2D **12**
Caxton Clo. *And* —4E **21**
Cedar Clo. *King W* —3D **4**
Cedar Wlk. *And* —6F **21**
Cedar Wlk. *Win* —6A **12** (3A **26**)
Cedarwood. *King W* —4E **5**
Celtic Dri. *And* —1C **24**
Central Way. *And* —4E **23**
Chalkcroft La. *Pen M* —2C **20**
Chalk Ridge. *Win* —6E **13**
Chantry Cen., The. *And* —5A **22**
Chantry St. *And* —5A **22**
Chapel La. *Estn & Win* —6A **6** & 1H **13**
Chapelriver Clo. *And* —6G **21**
Charfield Clo. *Win* —2A **16**
Charles Clo. *Win* —3D **12**
Charles Dalton Ct. *And* —6A **22**
Charlotte Clo. *And* —5D **22**
Charlotte M. *And* —2C **26**
Charlton. —2G 21
Charlton Rd. *And* —3G **21**
Charlton Roundabout. *And* —3G **21**
Charnwood Clo. *And* —1F **25**
Chatham Rd. *Win* —2G **15**
Chatsworth Dri. *And* —6G **21**
Chaucer Av. *And* —4F **21**
Chaucer Clo. *S Won* —1D **2**
Chaundler Rd. *Win* —3C **12**
Chawton Clo. *Win* —1H **11**
Cheavley Clo. *And* —5E **21**
Cheriton Clo. *Win* —4H **11**
Cheriton Rd. *Win* —4H **11** (1A **26**)
Cherry Clo. *S Won* —1C **2**
Cherry Tree Rd. *And* —4F **21**
Chesil Clo. *Win* —6D **12** (4F **26**)
Chesil Ter. *Win* —6D **12** (4F **26**)
Chester Rd. *Win* —5D **12** (2F **26**)
Chestnut Av. *And* —2D **24**

Chestnut Av. *Win* —1F **11**
Chestnut Mead. *Win* —2B **16**
Chestnut Wlk. *Alr* —4F **9**
Cheyne Ct. *Win* —4D **26**
Chichester Clo. *And* —5F **21**
Chilbolton Av. *Win* —5H **11**
Chilbolton Ct. *Win* —6G **11**
Chilcomb. —3H 17
Chilcombe Heights. Win —6D **12**
(off Quarry Rd.)
Chilcomb La. *Win & Chilc* —2D **16**
(in two parts)
Chillandham La. *It Ab* —1C **6**
Chilland La. *Mart W* —5C **6**
Chiltern Ct. *Win* —4F **9**
Christchurch Gdns. *Win* —2B **16**
Christchurch Rd. *Win* —2A **16**
(in two parts)
Christmas Hill. *S Won* —1A **2**
Church Clo. And —5B **22**
(off East St.)
Churchfields. *Twy* —3G **19**
Churchfields Rd. *Twy* —3F **19**
Churchill Clo. *Win* —2D **12**
Churchill Way. *And* —4B **22**
Churchill Way W. *And* —4E **21**
Church La. *Estn* —6H **5**
Church La. *Good C* —6E **25**
Church La. *King W* —5E **5**
Church La. *Mart W* —5B **6**
Church La. *Spar* —2A **10**
Church La. *Twy* —2G **19**
Church La. *Up Cl* —4D **24**
Church La. *Win* —5E **3**
Churchyard Cotts. *Alr* —3F **9**
City Bus. Cen. *Win* —5C **12** (1D **26**)
City Mus. —6C **12** (3D **26**)
City Rd. *Win* —5B **12** (1C **26**)
Clarendon Av. *And* —1C **24**
Clatford Mnr. *Up Cl* —3C **24**
Claudius Clo. *And* —1B **22**
Clausentum Rd. *Win* —2B **16**
Clease Way. *Comp* —2C **18**
Cliff Way. *Comp* —3D **18**
Clifton Hill. *Win* —5B **12** (2B **26**)
Clifton Rd. *Win* —5A **12** (1A **26**)
Clifton Ter. *Win* —5B **12** (2B **26**)
Cloisters, The. *And* —5A **22**
Cloverbank. *King W* —1D **4**
Clyde Ct. *And* —3C **22**
Coachways. *And* —1E **25**
Coate Dri. *Wor D* —1G **3**
Cobbett Clo. *Win* —2G **15**
Coker Clo. *Win* —5B **12** (1A **26**)
Colbourne Ct. *Win* —3C **12**
Colden La. *Old Al* —1G **9**
Colebrook Pl. *Win* —6D **12** (4F **26**)
Colebrook St. *Win* —6C **12** (3E **26**)
Colebrook Way. *And* —6F **21**
Cole Clo. *And* —1A **22**
Colenzo Dri. *And* —4B **22**
Coles Clo. *Twy* —2G **19**
Coles Mede. *Ott* —6C **18**
(in two parts)
College St. *Win* —6C **12** (4D **26**)
College Wlk. *Win* —1C **16**
Colley Clo. *Win* —2C **12**
Collingwood Wlk. *Win* —5D **22**
Collins Clo. *Charl* —2G **21**
Colson Clo. *Win* —5D **12** (1F **26**)
Colson Rd. *Win* —5D **12** (1F **26**)
Columbus Way. *And* —4E **23**
Compton. —1D 18
Compton Clo. *Win* —4F **15**
Compton Clo. *And* —6B **12** (4B **26**)
Compton Sq. *And* —2C **22**
Compton Way. *Win* —4F **15**
Coney Grn. *Win* —3C **12**
Conholt Rd. *And* —2E **25**
Conifer Clo. *Win* —4A **12** (1A **26**)
Coniston Gro. *Alr* —5F **9**
Connaught Rd. *Wor D* —1G **3**
(in two parts)
Conservatory, The. Win
—6D **12** (3F **26**)
Constable Ct. *And* —4A **22**
Constables Ga. *Win* —3B **26**
Constantine Sq. And —2C **22**
(off Cricketers Way)
Coopers Clo. *Wor D* —1H **3**
Coppice Clo. *Win* —4G **11**
Copse Clo. *Ott* —5C **18**
Coram Clo. *Win* —3C **12**
Corfe Clo. *Alr* —5E **9**
Corinthian Clo. *And* —1B **22**

Cornerways. *King W* —5D **4**
Cornes Clo. *Win* —6H **11**
Cornfields. *And* —1G **25**
Corunna Main. *And* —5B **22**
Cossack La. *Win* —5C **12** (2E **26**)
Cossack La. Ho. *Win* —4E **26**
Courtenay Rd. *Win* —3C **12**
Court Rd. *King W* —6E **5**
Coventry Ct. *Win* —3C **12**
Covey Way. *Alr* —5D **8**
Cowdown La. *Good C* —4F **25**
Cowdrey Sq. *And* —2B **22**
Cowley Dri. *Wor D* —1H **3**
Cox's Hill. *Twy* —1G **19**
Crab Wood Nature Reserve. —5B **10**
Craddock Ho. *Win* —4E **13**
Cranbourne Dri. *Ott* —6B **18**
Cranbury Clo. *Ott* —6B **18**
Cranworth Rd. *Win* —4B **12** (1B **26**)
Crescent Clo. *Win* —3F **15**
Crescent, The. *And* —5E **21**
Crescent, The. *Good C* —6D **24**
Crescent, The. *Twy* —2G **19**
Crescent, The. *Up Cl* —3C **24**
Cress Gdns. *And* —1D **24**
Cricketers Way. *And* —2B **22**
Cripstead La. *Win* —2B **16**
Croft Av. *And* —1E **25**
Croft Gdns. *And* —1E **25**
Cromwell Rd. *Win* —2H **15**
Cross Keys Pas. *Win* —3E **26**
Cross La. *And* —5H **21**
Cross St. *Win* —5B **12** (2C **26**)
Crossways. *Shaw* —4D **18**
Crossways, The. *And* —4H **21**
Croucher's Cft. *Win* —3G **11**
Crowder Ter. *Win* —6B **12** (3B **26**)
Crown Way. *And* —4D **22**
Croye Clo. *And* —5H **21**
Culley Vw. *Alr* —5F **9**
Culver M. *Win* —6C **12** (4D **26**)
Culver Rd. *Win* —1B **16**
Culverwell Gdns. *Win* —6B **12** (4C **26**)
Cundell Way. *King W* —2D **4**
Cusden Dri. *And* —3A **22**
Cuxhaven Way. *And* —2H **21**
Cypress Gro. *And* —6E **21**

Dacre Clo. *Charl* —2F **21**
Dale Clo. *Win* —6E **3**
Dances Clo. *And* —4B **22**
Danegeld Clo. *And* —1B **22**
Danehurst Pl. *And* —5E **21**
Danemark Ct. *Win* —5C **12** (1E **26**)
Danes Rd. *Win* —4C **12**
Dawn Gdns. *Win* —1G **15**
Dean. —2C 10
Dean Clo. *Win* —3G **11**
Deane Down Drove. *Win* —1F **11**
Deanery. —6C **12** (4D **26**)
Dean La. *Spar & Win* —2B **10**
Dean, The. *Alr* —3E **9**
Dell Rd. *And* —4G **21**
Dell Rd. *Win* —1E **17**
De-Lucy Av. *Alr* —4D **8**
Dene Ct. *And* —6B **22**
Dene Path. *And* —6B **22**
Dene Rd. *And* —6B **22**
Denham Clo. *Win* —3B **12**
Denham Ct. *Win* —3C **12**
Dennett Ho. *Win* —4F **13**
Derwent Gdns. *Alr* —5F **9**
Devenish Rd. *Win* —2H **11**
Dexter Sq. *And* —2C **22**
Dickenson Wlk. *Alr* —5F **9**
Dickson Rd. *And* —6C **20**
Dolphin Hill. *Twy* —3G **19**
Dome All. *Win* —6C **12** (4D **26**)
Domum Rd. *Win* —1D **16**
Donnington Ct. *Win* —4C **12**
Dorian Gro. *Alr* —5D **8**
Doughty Way. *And* —4E **23**
Douglas Rd. *And* —5D **20**
Dove Clo. *And* —3B **22**
Dover Clo. *And* —3B **22**
Down Farm La. *Win* —3G **3**
Down La. *Alr* —5E **9**
Downlands Rd. *Win* —3F **15**
Downlands Way. *S Won* —1B **2**
(in two parts)
Downside Rd. *Win* —3F **11**
Downs Rd. *S Won* —1B **2**
Drake Ct. *And* —4D **22**

Drayton St. *Win* —1G **15**
Drove Clo. *Twy* —4F **19**
Drove La. *Alr* —3C **8**
Drove, The. *And* —5F **21**
Drove, The. *Twy* —4F **19**
Drummond Clo. *Win* —2A **16**
Duke Clo. *And* —4D **22**
Dummer M. *Win* —6B **12** (4C **26**)
Duncan Ct. *And* —5D **22**
Dunmow Rd. *And* —1F **25**
Durley Clo. *And* —6G **21**
Durngate Pl. *Win* —5D **12** (2F **26**)
Durngate Ter. *Win* —5D **12** (2F **26**)
Dyson Dri. *Win* —3C **12**

Eardley Av. *And* —4E **21**
Earle Ho. *Win* —5F **13**
Eastacre. *Win* —4A **12**
East Anton. —1C 22
Eastern Av. *And* —6B **22**
Eastfield Clo. *And* —5C **22**
Eastfield Rd. *And* —5B **22**
Eastgate St. *Win* —6D **12** (3F **26**)
East Hill. *Win* —1D **16**
East La. *Alr* —5A **8**
Easton. —6A 6
Easton La. *Estn* —5A **6**
Easton La. *Win* —5D **12** (1F **26**)
Easton La. Bus. Cen. *Win* —5D **12**
East Portway. *And* —5E **21**
East St. *Alr* —3F **9**
East St. *And* —5B **22**
(in two parts)
E. Woodhay Rd. *Win* —1H **11**
Ebden Rd. *Win* —5D **12** (1F **26**)
Edgar Clo. *And* —1B **22**
Edgar Rd. *Win* —1B **16**
Edgar Vs. *Win* —6B **12**
Edinburgh Rd. *King W* —2D **4**
Edington Rd. *Win* —3C **12**
Edrich Sq. *And* —3B **22**
Edward Rd. *Win* —2A **16**
Edward Ter. *Alr* —4F **9**
Egbert Rd. *Win* —4C **12**
Elbe Way. *And* —2H **21**
Elder Clo. *And* —3G **15**
Elder Ct. *Win* —3G **15**
Eling Clo. *Win* —2H **11**
Elizabeth Clo. *King W* —2D **4**
Ellingham Clo. *Alr* —4F **9**
Ellington Clo. *And* —6D **20**
Elm Bank Rd. *And* —1E **25**
Elm Ct. *Win* —5A **12** (1A **26**)
Elm Rd. *Alr* —4F **9**
Elm Rd. *Win* —5A **12** (1A **26**)
Elms, The. *And* —6H **21**
Emden Rd. *And* —2H **21**
Enham Arch Roundabout. *And*
—3B **22**
Enham La. *And* —1A **22**
Enham La. *Charl* —1A **22**
Enmill La. *Win* —1A **14**
Ennerdale Gdns. *Alr* —5F **9**
Erasmus Pk. *Win* —4E **13**
Erskine Rd. *Win* —6A **12** (4A **26**)
Ethelbert Dri. *Charl* —2F **21**
Evelyn M. *Alr* —3F **9**
Eversfield Clo. *And* —5H **21**
Eversley Pl. *Win* —2H **15**
Exbury Way. *And* —6G **21**

Fabers Yd. *Win* —5B **12** (2C **26**)
Fairclose Dri. *Win* —6F **3**
Fairdown Clo. *Win* —6E **13**
Fairfax Clo. *Win* —2F **15**
Fairfield Rd. *Shaw* —4D **18**
Fairfield Rd. *Win* —4A **12** (1A **26**)
Fair La. *Win* —5H **13**
Fairlawn Ho. *Win* —6B **12** (4B **26**)
Fairview. *Alr* —5E **9**
Falcon Vw. *Win* —3G **15**
Fallow Fld. *Win* —3G **15**
Faraday Pk. *And* —4D **20**
Faringdon Ct. *Win* —3C **12**
Farley Mt. Rd. *Hurs* —4A **14**
Farley Mount Country Pk. —5A **10**
Farm Rd. *L Pk* —1A **24**
Farrs Av. *And* —1F **25**
Fawley La. *More* —6H **17**
Felmer Clo. *King W* —4E **5**
Ferndale Rd. *And* —4G **21**
Field Clo. *Comp* —3C **18**
Field End. *King W* —4E **5**

Field Way. *Comp* —3C **18**
Finch's La. *Twy* —3F **19**
Fingle Dri. *And* —5G **21**
Finkley Down Farm Pk. & Mus.
—2E **23**
Fiona Clo. *Win* —5E **13**
Firmstone Rd. *Win* —5D **12**
Firs Cres. *King W* —3D **4**
Firs, The. *And* —5G **21**
Fisher Clo. *And* —4D **22**
Five Bridges Rd. *Win* —4A **16**
Fivefields Clo. *Win* —6E **13**
Fivefields Rd. *Win* —6E **13**
Fleming Rd. *Win* —2G **11**
Flensburg Clo. *And* —2H **21**
Flinders Clo. *And* —4F **23**
Flint Clo. *And* —1C **24**
Floral Way. *And* —1B **24**
Florence Ct. *And* —2B **22**
(in two parts)
Flowerdew Ct. *And* —1F **25**
Flowerdown Barrows. —1G **11**
Flowerdown Cvn. Pk. *Win* —6G **3**
Focus 303 Bus. Cen. *And* —4E **23**
Focus Way. *And* —4D **22**
Folly Roundabout, The. *And* —4A **22**
Forbes Rd. *King W* —3D **4**
Fordington Av. *Win* —5A **12**
Fordington Rd. *Win* —5A **12** (1A **26**)
Forest La. *P Twen* —6F **23**
(in two parts)
Forge Fld. *And* —4B **22**
Foundry Rd. *Anna V* —3A **24**
Foxcotte. —2E 21
Foxcotte Clo. *Charl* —3F **21**
Foxcotte La. *Charl* —2E **21**
Foxcotte Rd. *Charl* —2E **21**
Fox La. *Win* —2G **15**
Frampton Way. *King W* —4E **5**
Francis Gdns. *Win* —3D **12**
Franklin Rd. *Twy* —2G **19**
Fraser Rd. *And* —4D **22**
Friarsgate. *Win* —5C **12** (2E **26**)
Fromond Rd. *Win* —2G **11**
Froxfield Clo. *Win* —1H **11**
Fry Sq. And —*3B 22*
(off Cricketers Way)
Fulflood. —5B 12
Fulflood Ct. *Win* —5A **12** (1A **26**)
Fullerton Rd. *Up Cl & Good C* —6A **24**
Furley Clo. *Win* —4D **22**
Fyfield Way. *Win* —6F **3**

Gainsborough Ct. *And* —4H **21**
Galahad Clo. *And* —3A **22**
Gales Ct. *And* —5A **22**
Galileo Pk. *And* —4E **21**
Gallaghers Mead. *And* —5E **21**
Garbett Rd. *Win* —5E **13**
Garden Clo. *And* —5B **22**
Garden La. *Win* —5A **12** (2E **26**)
Garnier Rd. *Win* —2B **16**
Gar St. *Win* —6B **12** (3C **26**)
Gatekeeper Clo. *Win* —5E **13**
Gawaine Clo. *And* —1A **22**
General Johnson Ct. *Win* —1G **15**
Genoa Ct. *And* —1B **22**
(in two parts)
George Eyston Dri. *Win* —1H **15**
George Yd. *And* —6B **22**
George Yd., The. *Alr* —3F **9**
Georgia Clo. *And* —1B **24**
Gilberts Mead Clo. *Anna V* —3A **24**
Gillingham Clo. *King W* —4E **5**
Gladstone St. *Win* —5B **12** (1C **26**)
Glebelands. *Good C* —5F **25**
Glen Clo. *And* —5G **21**
Goch Way. *Charl* —5G **21**
Goddards Mead. *And* —6G **21**
Goddard Sq. And —*3C 22*
(off Cricketers Way)
Godson Ho. *Win* —2E **26**
Godwin Clo. *Win* —2G **11**
Godwins Fld. *Comp* —1C **18**
Goldfinch Way. *S Won* —1D **2**
Goodworth Clatford. —6E 25
Goodworth Vw. *Good C* —6E **25**
Gordon Av. *Win* —1E **17**
Gordon Rd. *Win* —5C **12** (1E **26**)
Goring Rd. *Win* —4G **11**
Grace Sq. *And* —4D **22**
Grafton Rd. *Win* —1B **16**
Granada Rd. *And* —2H **21**
Grange Clo. *Alr* —4E **9**
Grange Clo. *Win* —3A **16**

Grange Rd. *Alr* —4E **9**
Grange Rd. *Win* —4A **16**
Granville Pl. *Win* —1D **16**
Graveney Sq. *And* —*3B 22*
(off Cricketers Way)
Grayshott Clo. *Win* —1H **11**
Gt. Field Rd. *Win* —2H **11**
Gt. Minster St. *Win* —6C **12** (3D **26**)
Great Weir. *Alr* —2F **9**
Greenacres Dri. *Ott* —6C **18**
Green Clo. *Old Al* —1F **9**
Green Clo. *S Won* —1D **2**
Green Clo. *Win* —6C **4**
Greenhaven Clo. *And* —6C **22**
Greenhill Av. *Win* —5A **12**
Greenhill Clo. *Win* —5H **11**
Greenhill Rd. *Win* —6H **11** (1A **26**)
Greenhill Ter. *Win* —5A **12**
Grn. Jacket Clo. *Win* —2A **16**
Grn. Meadows La. *Good C* —5E **25**
Grn. Park Clo. *Win* —3D **12**
Green, The. *Charl* —3G **21**
Greenwich Way. *And* —3A **22**
Greyfriars. *Win* —2F **26**
Grosvenor Dri. *Win* —3D **12**
Grovelands Rd. *Win* —4F **11**
Grove Rd. *Shaw* —4C **18**
Groves Clo. *S Won* —1B **2**
Grove, The. *Pen M* —1B **20**
Guildhall Gallery. —6C 12 (3E **26**)
Gurkha Mus., The. —6B 12 (3B **26**)

Hackwood Clo. *And* —6F **21**
Hadrian Rd. *And* —2B **22**
Haig Rd. *Alr* —3F **9**
Haig Rd. *And* —5G **21**
Halifax Clo. *And* —4H **21**
Halls Farm Clo. *Win* —2A **12**
Hall Way, The. *Win* —6F **3**
Hambledon Clo. *Win* —1H **11**
Hamburg Clo. *And* —2H **21**
Hammond's Pas. *Win* —3C **26**
Hampton La. *Win* —4G **11**
Hanging Bushes La. *W'hll* —3B **20**
Hanover Clo. *And* —1B **24**
Hanover Ho. *And* —*6B 22*
(off London St.)
Hanover Lodge. *Win* —1B **16**
Hanson Rd. *And* —4G **21**
Hardyfair Clo. *W'hll* —3A **20**
Hare La. *Twy* —5G **19**
Harestock. —1G 11
Harestock Clo. *Win* —6H **3**
Harestock Rd. *Win* —2G **11**
Harewood Mobile Home Pk. *And*
—4F **23**
Harroway La. *Pen H & And* —2C **20**
Harrow Down. *Win* —3H **15**
Harrow Way. *And* —3C **20**
(Hopkinson Way)
Harrow Way. *And* —4F **21**
(Upper Drove)
Harvest Clo. *Win* —3H **15**
Harwood Pl. *King W* —3E **5**
Hasted Dri. *Alr* —5E **9**
Hatherley Rd. *Win* —4A **12** (1A **26**)
Hattem Pl. *And* —3H **21**
Hawke Clo. *And* —4D **22**
Hawthorn Clo. *Alr* —4F **9**
Haydn Clo. *King W* —3G **15**
Hazel Clo. *And* —1B **24**
Hazeldene Gdns. *It Ab* —4E **7**
Hazeley Rd. *Twy* —3G **19**
Hazel Gro. *Win* —2H **15**
Headbourne Worthy Ho. *Win* —6D **4**
Heather Dri. *And* —4H **21**
Heath Va. *And* —6B **22**
Hedge End Rd. *And* —1F **25**
Helford Ct. *And* —3C **22**
Hendren Sq. *And* —3C **22**
Hengest Clo. *Charl* —2F **21**
Hepworth Clo. *And* —4A **22**
Heritage Ct. *Win* —2E **26**
Heron Ri. *And* —1F **25**
Hexagon, The. *And* —1B **24**
Hickory Dri. *And* —1H **11**
Highbridge Rd. *Highb & Col C* —6F **19**
Highbury Rd. *Anna V* —3B **24**
Highcliffe Rd. *Win* —1D **16**
Highcroft. *Win* —6H **11**
Highfield. *Twy* —4G **19**
Highfield Av. *Twy* —4G **19**
Highfield Ter. *Win* —6A **12** (3B **26**)
Highlands *And* —6C **22**
Highmount Clo. *Win* —6D **12**

High St. *And* —6A **22**
High St. *Twy* —4G **19**
High St. *Win* —5B **12** (2C **26**)
(in three parts)
High Trees Dri. *Win* —3A **12**
Highways Rd. *Comp* —4C **18**
Hilden Way. *Win* —6E **3**
Hillbury Av. *And* —1C **24**
Hillier Clo. *Win* —3C **12**
Hill Ri. *Twy* —3G **19**
Hillside. *Win* —6F **3**
Hillside Clo. *Win* —3G **11**
Hillside Rd. *Win* —4G **11**
Hillside Vs. *Charl* —3G **21**
Hill Ter. *Alr* —3F **9**
Hilltop. *Win* —6G **3**
Hinton Fields. *King W* —5E **5**
Hobbs Sq. And —*3C 22*
(off Cricketers Way)
Hockley Golf Course. —5C 16
Hockley Link. *Comp* —5A **16**
Hogarth Ct. *And* —3H **21**
Holdaway Clo. *King W* —4E **5**
Holland Dri. *And* —2F **21**
Hollands Clo. *Win* —6F **3**
Holly Wlk. *And* —1B **24**
Holmes Ct. *And* —6G **21**
Holm Oak Clo. *Win* —6E **3**
Home Farm Gdns. *Charl* —2F **21**
Home La. *Spar* —2A **10**
Homerise Ho. *Win* —1D **26**
Honeysuckle Clo. *Win* —3H **15**
Hood Clo. *And* —5D **22**
Hookpit Farm La. *King W* —3D **4**
Hopkinson Way. *And* —4D **20**
Hornbeam Clo. *S Won* —1D **2**
Hospital of St Cross, The. —3B 16
Hubert Rd. *Win* —3A **16**
Humberstone Rd. *And* —1E **25**
Hundred Acre Roundabout. *And*
—5E **21**
Hunt Clo. *S Won* —1D **2**
Hunting Ga. *And* —5E **21**
Hurdle Way. *Comp* —1C **18**
Hussey Clo. *Win* —3C **12**
Hutton Sq. *And* —3C **22**
Hyde Abbey Rd. *Win* —5C **12** (1D **26**)
Hyde Church La. *Win* —4C **12**
Hyde Church Path. Win —*4C 12*
(off Hyde St.)
Hyde Clo. *Win* —4B **12** (1C **26**)
Hyde Ga. *Win* —4C **12** (1D **26**)
Hyde Ho. Gdns. *Win* —4C **12**
Hyde Lodge. *Win* —4B **12**
Hyde St. *Win* —5C **12** (1D **26**)

Icknield Way. *And* —1B **22**
Ilex Clo. *King W* —3D **4**
Imber Rd. *Win* —5E **13**
Itchen Abbas. —5E **7**
Itchen Ct. *And* —3C **22**
Itchen Ct. *Win* —3F **26**
Itchen Stoke. —4A **8**
Itchen Vw. *It Sto* —4A **8**
Ivy Clo. *Win* —2A **16**

Jacklyns Clo. *Alr* —5E **9**
Jacklyns La. *Alr* —5E **9**
Jardine Sq. And —*3C 22*
(off Cricketers Way)
Jellicoe Ct. And —*4D 22*
(off Admirals Way)
Jenson Gdns. *And* —6G **21**
Jervis Ct. *And* —4D **22**
Jesty Rd. *Alr* —5D **8**
Jewry St. *Win* —5C **12** (2C **26**)
Joule Rd. *And* —4D **20**
Junction Rd. *And* —4F **23**
Juniper Clo. *And* —2H **15**
Jutland Cres. *And* —1H **21**

Keats Clo. *S Won* —1D **2**
Keats Clo. *Win* —3G **15**
Keble St. *Win* —1G **15**
Kellys Wlk. *And* —6G **21**
Kemmitt Way. *And* —1C **24**
Kenilworth Ct. *Win* —*4D 22*
(off Northlands Dri.)
Kennel La. *Win* —1F **11**
Kenyons Yd. *And* —5G **21**
Kerrfield. *Win* —6H **11**
(in two parts)
Kerrfield M. *Win* —6H **11**

Kestrel Clo. *Win* —3H **15**
Kew Wlk. *And* —6G **21**
Kiel Dri. *And* —2H **21**
Kilham La. *Win* —6E **11**
Kiln La. *Old Al* —1F **9**
Kimberley Clo. *Charl* —3G **21**
King Alfred Pl. *Win* —4C **12**
King Alfred's Statue. —3E 26
King Alfred Ter. *And* —4C **12** (1D **26**)
King Arthur's Way. *And* —2A **22**
King Arthur's Way Roundabout. *And* —1B **22**
King George Rd. *And* —5F **21**
King Harold Ct. *Win* —1A **16**
Kings Av. *Win* —2A **16**
Kings Clo. *King W* —2D **4**
Kings Clo. *Twy* —2G **19**
Kingsdale La. *Win* —5B **12** (1C **26**)
Kingsgate Rd. *Win* —2B **16**
Kingsgate St. *Win* —1C **16**
Kings Head Yd. *Win* —6C **12** (3D **26**)
Kings La. *Win* —6G **13**
Kingsley Bungalows. *Alr* —5D **8**
Kingsley Pl. *Win* —2A **16**
Kingsmead. *Anna V* —3A **24**
Kings Mdw. *And* —6E **25**
Kings Rd. *Win* —1G **15**
King's Royal Hussar's Mus., The.
—6B **12** (3B **26**)
Kingstone Clo. *And* —1C **24**
Kings Wlk. *Win* —3E **26**
Kingsway. *And* —3E **23**
Kingsway Gdns. *And* —2A **22**
Kings Worthy. —5E **5**
Kingsworthy Ct. *King W* —6E **5**
Kings Yd. *And* —5B **22**
Knight Clo. *Win* —3C **12**
Knights Enham. —1A 22
Knights Enham Roundabout. *And* —1A **22**
Kynegils Rd. *Win* —3H **11**

Laburnum Dri. *King W* —3D **4**
Ladies Wlk. *And* —1F **25**
Ladycroft. *Alr* —5C **8**
Lady Well La. *Alr* —2F **9**
Lainston Clo. *Win* —3G **11**
Laker Sq. *And* —3C **22**
Lakeside Clo. *Charl* —3F **21**
Lamb Clo. *And* —6C **22**
Lambourne Clo. *Spar* —2A **10**
Lamb Roundabout, The. *And* —6A **22**
Lancaster Clo. *And* —4H **21**
Landseer Ct. *And* —4H **21**
Langton Clo. *Win* —4A **12**
Langtons Ct. *Alr* —4G **9**
Lanham La. *Win* —6B **10**
(in three parts)
Lankhills Rd. *Win* —3B **12**
Lansdowne Av. *And* —1C **24**
Lansdowne Av. *Win* —2B **16**
Lansdowne Ct. *Win* —2B **16**
Lantern Ct. *Win* —1A **16**
Larch Clo. *King W* —2D **4**
Larch Dri. *And* —6E **21**
Larg Dri. *Win* —1G **11**
Lark Clo. *And* —3B **22**
Lark Hill Ri. *Win* —3H **15**
Larwood Sq. And —3C 22
(off Cricketers Way)
Launcelot Clo. *And* —2A **22**
Lawn Ho. *Win* —2E **26**
Lawn Rd. *Win* —6F **3**
Lawn St. *Win* —5C **12** (2E **26**)
Lawrence Clo. *And* —3H **21**
Lawrence Way. Win —3C 12
(off Worthy Rd.)
Legion La. *King W* —4D **4**
Leicester Pl. *And* —6A **22**
Leicester Way. *Win* —4E **13**
Leigh Clo. *And* —6C **22**
Leigh Gdns. *And* —6C **22**
Leigh Rd. *And* —6B **22**
Lent Hill Ct. *Win* —1H **15**
Leyton Way. *And* —1B **24**
Light Infantry Mus., The.
—5B **12** (2B **26**)
Lillywhite Cres. *And* —1B **22**
Lime Rd. *Alr* —4F **9**
Limetree Wlk. *Win* —5F **13**
Lime Wlk. *And* —5D **21**
Lindley Gdns. *Alr* —5F **9**
Lingen Clo. *And* —2A **22**
Links Rd. *Win* —4H **11**
Link, The. *And* —5E **21**

Linnets Clo. *Win* —5E **9**
Linton Dri. *And* —4H **21**
Lions Hall. *Win* —6B **12** (4C **26**)
Lisle Clo. *Win* —4H **15**
Lisle Ct. *Win* —1A **16**
Litchfield Clo. *Charl* —2F **21**
Litchfield Rd. *Win* —1H **11**
Lit. Copse. *And* —1C **24**
Lit. Hayes La. *It Ab* —5F **7**
Lit. Minster St. *Win* —6C **12** (3D **26**)
Littleton. —1F 11
Littleton La. *Spar & Win* —1E **11**
Littleton Rd. *Win* —1F **11**
Livia Clo. *And* —1B **22**
Livingstone Rd. *And* —4E **23**
Loader Clo. *King W* —4E **5**
Lock's La. *Spar* —2A **10**
Lodge Clo. *And* —5G **21**
London Rd. *And* —6B **22**
London Rd. *And & And D* —5E **23**
London Rd. *Win & King W* —1D **12**
London St. *And* —6B **22**
Longbarrow Clo. *S Won* —1D **2**
Longfield Rd. *Win* —5E **13**
Longhouse Grn. *Win* —5E **13**
Longparish Ct. And —6B 22
(off London Rd.)
Long Park. —4C 2
Longstock Clo. *And* —6G **21**
Longstock Ct. And —6B 22
(off London Rd.)
Longstock Rd. *Good C* —6E **25**
Long Wlk. *Win* —2G **13**
Lovedon La. *King W* —2D **4**
Love La. *And* —6B **22**
Love La. *Twy* —4H **19**
Lovell Clo. *S Won* —1D **2**
Lovells Wlk. *Alr* —4E **9**
Loveridge Clo. *And* —1B **22**
Lovett Wlk. *Win* —2G **11**
Lovington La. *Avtn & Alr* —6H **7**
Lowden Clo. *Win* —4H **15**
Lwr. Brook St. *Win* —5C **12** (2E **26**)
Lower Rd. *S Won* —1B **2**
Lwr. Stanmore La. *Win* —2A **16**
Lowry Ct. *And* —4H **21**
Lubeck Dri. *And* —2H **21**
Lynch Clo. *Win* —3A **12**
Lyndhurst Clo. *Win* —1H **11**
Lynford Av. *Win* —3A **12**
Lynford Way. *Win* —3A **12**
Lynn Way. *King W* —5E **5**
Lynwood Ct. *Win* —3B **12**
Lynwood Dri. *And* —5G **21**

Macadam Way. *And* —4D **20**
Macklin Ho. *Win* —3A **26**
Madrid Rd. *And* —4C **22**
Magdalen Hill. *Win* —6D **12** (3F **26**)
Magdalen M. *Win* —3F **26**
Magellan Clo. *And* —4E **23**
Magnolia Clo. *And* —6G **21**
Main Rd. *Ott & Comp* —6B **18**
Main Rd. *Win* —5E **3**
Majorca Av. *And* —4C **22**
Makins Ct. *Alr* —4E **9**
Mallard Clo. *Alr* —3F **9**
Mallard Clo. *And* —3B **22**
Mall, The. And —6A 22
(off Bridge St.)
Malmesbury Gdns. *Win* —3H **11**
Malpass Rd. *Wor D* —1G **3**
Malthouse Clo. *Estn* —6H **5**
Manningford Clo. *Win* —2C **12**
Manor Clo. *Win* —5D **12**
Manor Copse. *And* —1B **22**
Mnr. Farm Grn. *Twy* —4F **19**
Manor Ri. *Anna V* —3C **24**
Manor Rd. *And* —4H **21**
Manor Rd. *Twy* —4F **19**
Mant's La. *Win* —6D **12** (4F **26**)
Maple Clo. *Alr* —3F **9**
Maple Dri. *King W* —3D **4**
Maple Wlk. *And* —1B **24**
Marchant Rd. *And* —6G **21**
March Clo. *And* —4F **21**
Market La. *Win* —6C **12** (3D **26**)
Market St. *Win* —6C **12** (3D **26**)
Mark La. *P Cnr & And* —4C **20**
(in two parts)
Markson Rd. *S Won* —1B **2**
Marlborough St. *And* —5A **22**
Marshall Sq. And —3C 22
(off Cricketers Way)
Marston Ga. *Win* —5C **12** (1D **26**)

Marsum Clo. *And* —1A **22**
Martins Fields. *Comp* —1C **18**
Martin Way. *And* —3B **22**
Martyr Worthy. —5B 6
Matilda Pl. *Win* —5C **12** (1D **26**)
May Tree Clo. *Win* —3G **15**
May Tree Rd. *And* —4F **21**
Mead Clo. *And* —6H **21**
Mead Hedges. *And* —1C **24**
Mead Hedges Roundabout. *And* —6H **21**
Meadow Clo. *Alr* —4F **9**
Meadowcroft Clo. *Ott* —6C **18**
Meadowland. *King W* —4D **4**
Meadow Way. *And* —5F **21**
Meadow Way. *Win* —3G **15**
Mead Rd. *And* —6H **21**
Mead Rd. *Win* —3A **16**
Mead Vw. *Good C* —6E **25**
Meliot Ri. *And* —4F **21**
Melrose Ct. *Win* —1B **16**
Merchants Pl. *Win* —5C **12** (2E **26**)
Mercia Av. *Charl* —2F **21**
Meriden Ct. Win —3C 12
(off Northlands Dri.)
Mersey Ct. *And* —3C **22**
Meryon Rd. *Alr* —5F **9**
Mews Ct. *Ott* —6B **18**
Mews La. *Win* —6A **12** (3A **26**)
Micheldever Rd. *And* —6B **22**
Middle Brook St. *Win* —6C **12** (3E **26**)
(in two parts)
Middle Rd. *Win* —5A **12** (1A **26**)
Middleway, The. *And D & Longp* —4H **23**
Mildmay Ct. *Win* —3F **26**
Mildmay St. *Win* —2H **15**
Milland Rd. *Win* —1D **16**
Millers La. *Win* —4C **14**
Mill Hill. *Alr* —3F **9**
Mill La. *Abb W* —5F **5**
Mill La. *Bish S* —4H **9**
Millstream Clo. *And* —1D **24**
Millway Clo. *And* —6G **21**
Millway Rd. *And* —6G **21**
Milner Pl. *Win* —1A **16**
Milnthorpe La. *Win* —6A **12** (4A **26**)
Milton Av. *And* —4F **21**
Milverton Rd. *Win* —5H **11**
Mimosa Ct. *And* —1B **24**
Minden Clo. *And* —2A **22**
Minden Way. *Win* —2G **15**
Minstead Clo. *Win* —1H **11**
Minster La. *Win* —6C **12** (3D **26**)
Mint Yd. *Win* —3D **26**
Mitchell Clo. *And* —4D **20**
Mitford Rd. *Alr* —4D **8**
Momford Rd. *Win* —4F **15**
Monarch Way. *Win* —4F **15**
Moneyer Rd. *And* —2H **21**
Monks Rd. *Win* —4C **12**
Monmouth Sq. *Win* —1F **15**
Montgomery Clo. *Win* —2G **15**
Monxton Rd. *And* —6B **22**
(in two parts)
Monxton Rd. Roundabout. *And* —5D **20**
Moor Ct. La. *Spar* —2A **10**
Moore Clo. *And* —4A **22**
Moorside. *Win* —2F **26**
Moorside Rd. *Win* —4E **13**
Moot Clo. *Win* —4F **15**
Morestead Rd. *Win* —2D **16**
(in two parts)
Mornington Clo. *And* —2E **25**
Mornington Dri. *Win* —3G **11**
Mortimer Clo. *King W* —5D **4**
Moss Rd. *Win* —5D **12**
Mountbatten St. *Win* —2A **12**
Mountbatten Pl. *King W* —3E **5**
Mount Clo. *Win* —2A **12**
Mt. Pleasant. *King W* —5D **4**
Mt. View Rd. *Win* —3F **15**
Munnings Ct. *And* —4H **21**
Murray Clo. *And* —2D **24**
Museum of the Iron Age, The. —5B **22**
Mylen Bus. Cen. *And* —5G **21**
Mylen Rd. *And* —5G **21**

Napier Wlk. *And* —4D **22**
Nations Hill. *King W* —4D **4**
Nelson Rd. *Win* —6E **13**
Nelson Wlk. *And* —4D **22**
Nestor Clo. *And* —4H **21**
Neville Clo. *And* —1F **25**

Newall Rd. *And* —6C **20**
Newburgh St. *Win* —5B **12** (1B **26**)
Newbury La. *Pen M* —2C **20**
Newbury Rd. *And* —1A **22**
Newcomb Clo. *And* —2D **24**
New Farm Ind. Est. *Alr* —5D **8**
New Farm Rd. *Alr* —4D **8**
New Rd. *Win* —5F **3**
New St. *And* —3B **22**
Newton Rd. *Twy* —2G **19**
Newtown Clo. *And* —6G **21**
Nicholson Pl. *Alr* —4D **8**
Nickel Clo. *Win* —5D **12**
Nightingale Clo. *Win* —1F **15**
Norlands Dri. *Ott* —5C **18**
Norman Ct. La. *Up Cl* —2D **24**
Norman Rd. *Win* —1B **16**
Normans Flats. *Win* —1B **16**
Northbrook Av. *Win* —6D **12**
Northbrook Clo. *Win* —6E **13**
Northbrook St. *Win* —6E **13**
North Dri. *Win* —6F **3**
Northern Av. *And* —4A **22**
North Fields. *Twy* —2G **19**
N. Hill Clo. *Win* —3B **12**
N. Hill Ct. *Win* —4B **12**
Northington Rd. *It Ab* —4F **7**
Northlands Dri. *Win* —3C **12**
North Rd. *King W* —2D **4**
North Vw. *Win* —5A **12** (1A **26**)
North Walls. *Win* —5C **12** (1D **26**)
North Way. *And* —3D **22**
Nuns Rd. *Win* —4C **12**
Nuns Wlk. *Win* —4C **12**
(in two parts)
Nursery Gdns. *Win* —5H **11**
Nursery Rd. *Alr* —4F **9**
Nurse's Path. *Twy* —3G **19**
Nutbane Clo. *And* —6G **21**

Oak Bank. *And* —1E **25**
Oak Hill. *Alr* —5F **9**
Oaklands. *S Won* —1C **2**
Oaklands Clo. *Win* —1F **15**
Oakwood Av. *Ott* —6C **18**
Oakwood Clo. *Ott* —5C **18**
Octavia Hill. *Win* —1H **15**
Oglander Rd. *Win* —3C **12**
Olaf Clo. *And* —1B **22**
Old Alresford. —1F 9
Old Down Rd. *And* —4H **21**
Oldenburg Clo. *And* —2H **21**
Old English Dri. *And* —1H **21**
Old Gdns. *Win* —3B **12**
Old Hillside Rd. *Win* —4G **11**
Old Kennels Clo. *Win* —4E **15**
Old Kennels La. *Win* —4E **15**
Old Parsonage Ct. *Ott* —6C **18**
Old Rectory Gdns. *Abb W* —5F **5**
Old Rectory La. *Twy* —2G **19**
Old Stable M. *Win* —5E **3**
Old Station App. *Win* —6D **12** (3F **26**)
Old Station Rd. *It Ab* —5E **7**
Old Winton Rd. *And* —6B **22**
Oliver's Battery. —3F 15
Oliver's Battery Cres. *Win* —3F **15**
Oliver's Battery Gdns. *Win* —4F **15**
Oliver's Battery Rd. N. *Win* —3F **15**
Oliver's Battery Rd. S. *Win* —4F **15**
Orchard Clo. *Alr* —5F **9**
Orchard Clo. *S Won* —1B **2**
Orchard Rd. *And* —4G **21**
Orchard Rd. *S Won* —1B **2**
Orchard Wlk. *Win* —1D **26**
(Jewry St.)
Orchard Wlk. *Win* —3H **11**
(Stoney La.)
Orient Dri. *Win* —2G **11**
Osborne Rd. *And* —6H **21**
Otterbourne. —6B 18
Otterbourne Golf Cen. —4A **18**
Otterbourne Ho. *Ott* —6B **18**
Otterbourne Ho. Gdns. *Ott* —6B **18**
Otterbourne Rd. *Comp* —1D **18**
Otterbourne Rd. *Shaw* —3D **18**
Oval, The. *And* —2C **22**
Owens Rd. *Win* —4B **12**
Ox Drove. *And & Pic P* —4F **23**
Ox Drove Ri. *Pic P* —2H **23**
Ox Drove Way. *Old Al* —1G **9**

Paddock Clo. *S Won* —1D **2**
Paddock, The. *King W* —5E **5**

Paddock Way. *Alr* —5E **9**
Painters Fld. *Win* —3A **16**
Palmer Dri. *And* —5D **22**
Palmerston Ct. *Win* —2B **16**
Palm Hall Clo. *Win* —6E **13**
Parchment St. *Win* —6C **12** (3D **26**)
(in two parts)
Park Av. *Win* —5C **12** (1E **26**)
Park Clo. *Win* —3C **12**
Park Ct. *Win* —3C **12**
Park Ho. *Win* —1E **26**
Park La. *Abb W* —5F **5**
Park La. *Twy* —4G **19**
Park Mt. *Alr* —3E **9**
Park Rd. *Win* —3B **12**
Parkside Gdns. *Win* —3G **11**
Park Vw. *Shaw* —3E **19**
Parkview Clo. *And* —3G **21**
Parliament Pl. *Win* —3G **15**
Parmiter Ho. *And* —2F **26**
Partridge Down. *Win* —4F **15**
Pastures, The. *King W* —2D **4**
Paternoster Ho. *Win* —3E **26**
Paternoster Row. *Win* —6C **12** (3E **26**)
Pattinson Cres. *And* —6C **20**
Paulet Dri. *And* —6H **21**
Peacock Pl. *Win* —5E **13**
Pearman Dri. *And* —5D **22**
Pembroke Ct. *And* —5B **22**
Pemerton Rd. *Win* —2H **11**
Pen Clo. *And* —5C **22**
Peninsula Rd. *Win* —6A **12** (4A **26**)
Peninsula Sq. *Win* —6B **12** (3B **26**)
Pentice, The. *Win* —3D **26**
Penton Corner. —4C 20
Penton Grafton. —2B 20
Penton La. *Cla* —1B **20**
Penton Mewsey. —1C 20
Penton Pl. *Win* —1D **16**
Penton Rd. *Twy* —2G **19**
Perins Clo. *Alr* —5D **8**
Petersfield Rd. *Win* —6D **12**
(in two parts)
Picket Piece. —2G 23
Picket Twenty. *And & P Twen* —5E **23**
Picton Rd. *And* —2D **24**
Pilgrims Ga. *Win* —4A **12** (1A **26**)
Pilgrims Ho. *Win* —4A **12**
Pilgrims Way. *And* —4C **22**
Pine Clo. *S Won* —1D **2**
Pine Clo. *Win* —4F **15**
Pines, The. *And* —5H **21**
Pine Wlk. *And* —1B **24**
Pitt. —2E 15
Pitter Clo. *Win* —6F **3**
Pitts La. *And* —1E **25**
Place La. *Comp* —1D **18**
Plantation Rd. *And* —6G **21**
Plough Way. *Win* —3H **15**
Plover Clo. *And* —3B **22**
Plovers Down. *Win* —4F **15**
Poets Way. *Win* —5H **11**
Porchester Clo. *Charl* —2F **21**
Portal Clo. *And* —6D **20**
Portal Rd. *Win* —1D **16**
Porters Clo. *And* —4F **21**
Portland Gro. *And* —5A **22**
Port La. *Hurs* —6B **14**
Portway Clo. *And* —5F **21**
Portway Ind. Est. *And* —4E **21**
(East Portway)
Portway Ind. Est. *And* —4D **20**
(Hopkinson Way)
Portway Roundabout. *And* —3E **21**
Pound Hill. *Alr* —3E **9**
Pound Rd. *King W* —3E **5**
Poynters Clo. *And* —3H **21**
Prince Albert Gdns. And —6A **22**
(off Western Rd.)
Prince Clo. *And* —3D **22**
Prince's Bldgs. *Win* —2E **26**
Prince's Pl. *Win* —2A **16**
Princess Ct. *Win* —5C **12** (1D **26**)
Prinstead Clo. *Win* —1D **16**
Printers Row. *Win* —2C **26**
Priors Barton. *Win* —2B **16**
Priors Dean Rd. *Win* —1H **11**
Priors Way. *Win* —4F **15**
Prospect Rd. *Alr* —5D **8**
Pudding La. *Win* —6D **4**

Quarry Rd. *Win* —6D **12** (4F **26**)
Queens Av. *And* —5H **21**
Queens Mead. *Win* —1G **15**
Queen's Rd. *Win* —6H **11**
Queen St. *Twy* —3F **19**
Queensway. *And* —3D **22**

Rack Clo. *And* —5B **22**
Ramparts, The. *And* —1C **24**
Ramsay Rd. *King W* —4E **5**
Rances Way. *Win* —2A **16**
Ranelagh Rd. *Win* —1B **16**
Rank, The. *W'hll* —3A **20**
Recreation Rd. *And* —5B **22**
Rectory La. *It Ab* —3G **7**
Rectory Rd. *W'hll* —3A **20**
Reculver Way. *Charl* —2F **21**
Redbridge Dri. *And* —6H **21**
Redon Way. *And* —3G **21**
Red Post La. *And* —6B **20**
Red Post La. *W'hll* —4A **20**
Red Rice Rd. *Up Cl* —6A **24**
Rees Rd. *Wor D* —1G **3**
Regent Clo. *Ott* —5C **18**
Regent Ct. Win —3C 12
(off Northlands Dri.)
Regents Ct. *And* —4E **23**
Reith Way. *And* —4D **20**
Rewlands Dri. *Win* —2A **16**
Reynolds Ct. *And* —3H **21**
Rhodes Sq. *And* —2C **22**
Richard Moss Ho. *Win* —1D **26**
Richborough Dri. *Charl* —2E **21**
Richmond Pk. *Ott* —5D **18**
Ridgeway. *Win* —2G **15**
Riley Rd. *Wor D* —1A **4**
Ringlet Way. *Win* —5E **13**
River Pk. Leisure Cen. —4C **12**
Riverside. *Good C* —5E **25**
Riverside Ho. *Win* —2F **26**
Riverside Indoor Bowl Club. —4C 12
River Way. *And* —3B **22**
Roberts Clo. *King W* —2D **4**
Robertson Rd. *And* —5E **9**
Robin Way. *And* —3B **22**
Rockbourne Rd. *Win* —1H **11**
Rodney Ct. *And* —4D **22**
Roman Rd. *Twy* —3G **19**
Roman's Rd. *Win* —1B **16**
Roman Way. *And* —1B **22**
Romsey Rd. *Good C & Cot* —6G **25**
Romsey Rd. *Win* —3C **14** (3A **26**)
Ronald Bowker Ct. *Win* —5A **12**
Rooksbury Rd. *And* —1C **24**
Rooks Down Rd. *Win* —2H **15**
Rosebery Rd. *Alr* —4E **9**
Rosemary Clo. *Win* —5D **12** (2F **26**)
Rosewarne Ct. *Win* —4C **12** (1D **26**)
Roundhuts Ri. *Win* —5E **13**
Roundway Ct. *And* —5G **21**
Rowan Clo. *S Won* —1D **2**
Rowlings Rd. *Win* —2H **11**
Royal Green Jackets Mus., The.
—5B **12** (2B **26**)
Royal Hampshire Regiment Mus.,
The. —6B **12** (3C **26**)
Royal Oak Pas. *Win* —2D **26**
Royal Winchester Golf Course.
—5F **11**
Royce Clo. *And* —4D **20**
Roydon Clo. *Win* —2A **16**
Rozelle Clo. *Win* —6E **3**
Ruffield Clo. *Win* —3G **11**
Rune Dri. *And* —1H **21**
Russell Rd. *Win* —3C **12**
Russet Clo. *Alr* —5E **9**
Ryon Clo. *And* —1A **22**

Sainsbury Clo. *And* —1D **24**
St Annes Clo. *Good C* —6D **24**
St Annes Clo. *Win* —2G **15**
St Ann's Clo. *And* —6H **21**
(in two parts)
St Bede's Ct. *Win* —4C **12**
St Catherine's Hill Fort. —3C **16**
St Catherine's Hill Nature Reserve.
—3C **16**
St Catherine's Rd. *Win* —1D **16**
St Catherine's Vw. *Win* —2D **16**
St Catherines Way. *Chilc* —2E **17**
St Clement St. *Win* —6B **12** (3C **26**)
St Clements Yd. *Win* —3C **26**
St Cross La. *Win* —2B **16**
St Cross Mede. *Win* —3A **16**
St Faith's Rd. *Win* —2B **16**
St George's St. *Win* —5C **12** (2D **26**)
(in two parts)

St Giles Clo. *Win* —6D **12** (4F **26**)
St Giles Hill. *Win* —6D **12** (3F **26**)
St Hubert Rd. *And* —6G **21**
St James' La. *Win* —6A **12** (3A **26**)
St James' Ter. *Win* —6B **12** (3B **26**)
St James' Vs. *Win* —6B **12** (4B **26**)
St John's Rd. *And* —5B **22**
St John's Rd. *Win* —5D **12**
St John's St. *Win* —6D **12** (3F **26**)
St Leonards Clo. *S Won* —1C **2**
St Leonard's Rd. *Win* —1E **17**
St Martin's Clo. *Win* —5D **12** (2F **26**)
St Martins Trade Pk. *Win*
—4D **12** (1F **26**)
St Mary Magdalen Almshouses. *Win*
—6D **12** (4F **26**)
St Mary's Clo. *King W* —6E **5**
St Marys Ter. *Twy* —3G **19**
St Mary St. *Win* —2H **15**
St Matthew's Rd. *Win* —3H **11**
St Michael's Gdns. *Win* —6B **12** (4C **26**)
St Michael's Pas. *Win* —1C **16**
St Michael's Rd. *Win* —1B **16** (4C **26**)
St Nicholas Ri. *King W* —5D **4**
St Paul's Ter. *Win* —2C **26**
St Paul's Hill. *Win* —5B **12** (1B **26**)
St Paul's Pl. *Win* —5B **12**
St Peter's Clo. *Good C* —5F **25**
St Peter St. *Win* —5C **12** (2D **26**)
(in two parts)
St Stephen's Rd. *Win* —3H **11**
St Swithuns Ter. *Win* —6B **12** (4C **26**)
St Swithun St. *Win* —6B **12** (4C **26**)
St Swithuns Vs. *Win* —6C **12** (4D **26**)
St Thomas Clo. *Charl* —2G **21**
St Thomas' Pas. *Win* —6B **12** (3C **26**)
St Thomas St. *Win* —6B **12** (4C **26**)
Salcot Rd. *Win* —3E **21**
Salisbury Rd. *Alr* —4E **9**
Salmond Rd. *And* —5D **20**
Salters Acres. *Win* —2G **11**
Salters La. *Win* —3F **11**
Sam Whites Hill. *Up Cl* —3C **24**
Sandringham Ho. *And* —2A **22**
(off Atholl Ct.)
Saor M. *And* —5H **21**
Sarum Clo. *Win* —6A **12** (3A **26**)
Sarum Ct. *Win* —6B **10**
Sarum Vw. *Win* —6F **11**
Savoy Clo. *And* —5F **21**
Sawyer Clo. *Win* —4F **11**
Saxon Ct. *And* —2A **22**
Saxon Rd. *Win* —4C **12**
Saxon Way. *And* —2H **21**
Scamblers Mead. *Pen G* —2B **20**
Sceptre Ct. *Wal I* —4E **23**
School La. *It Ab* —4F **7**
School La. *Win* —6C **4**
School Rd. *Twy* —3F **19**
Scott Clo. *And* —4E **23**
Scrubbs La. *Bish S* —6H **9**
Searles Clo. *Alr* —4F **9**
Segars La. *Twy* —4F **19**
Selborne Pl. *Win* —2H **15**
Seldon Clo. *Win* —3F **15**
Sermon Rd. *Win* —4F **11**
Seville Cres. *And* —4C **22**
(in two parts)
Shacketon Sq. And —2C **22**
(off Cricketers Way)
Shakespeare Av. *And* —4F **21**
Shaw Clo. *And* —5E **21**
Shawford. —2D 18
Shawford Rd. *Shaw* —3E **19**
Sheddon Pl. *Spar* —3B **10**
Sheep Fair. *And* —5C **22**
Sheep Fair Clo. *And* —5C **22**
Shelley Clo. *It Ab* —5F **7**
Shelley Clo. *Win* —5H **11**
Shepherds Clo. *Win* —3F **15**
Shepherds Down. *Alr* —5E **9**
Shepherds La. *Comp* —3A **18**
Shepherds Ri. *Win* —5E **13**
Shepherds Row. *And* —6C **22**
Shepherds Spring La. *And* —5A **22**
Sheppard Sq. And —3C 22
(off Cricketers Way)
Sherbrooke Clo. *King W* —3E **5**
Sheridan Clo. *Win* —2G **15**
Shipley Rd. *Twy* —2G **19**
Short La. *P Cnr* —4B **20**
Sidmouth Rd. *And* —5C **22**
Silchester Clo. *And* —3G **21**
Silkstead La. *Ott* —2A **18**
Silkweavers Rd. *And* —5B **22**
Silverbirch Rd. *And* —4G **21**

Silver Hill. *Win* —6C **12** (3E **26**)
Silverwood Clo. *Win* —2H **15**
Silwood Clo. *Win* —4H **11**
Simonds Ct. *Win* —3D **12**
Sleepers Delle Gdns. *Win* —1A **16**
Sleepers Hill. —6G 11
Sleeper's Hill. *Win* —1G **15**
Sleeper's Hill Gdns. *Win* —1H **15**
Sleeper's Hill Ho. *Win* —1H **15**
Slessor Clo. *And* —6D **20**
Smannell Rd. *And & Sman* —2B **22**
Smannell Rd. Roundabout. *And*
—3A **22**
Smeaton Rd. *And* —3D **20**
Sobers Sq. *And* —2C **22**
Soke, The. *Alr* —3F **9**
Somers Clo. *Win* —2H **15**
Somerville Ct. *And* —4D **22**
Somerville Rd. *King W* —2E **5**
Sopwith Pk. *And* —3A **22**
South Clo. *Alr* —4D **8**
South Down. —3D 18
Southdown Rd. *Shaw* —3D **18**
South Dri. *Win* —1E **11**
S. End Rd. *And* —1F **25**
Southgate M. *Win* —6B **12** (4C **26**)
Southgate St. *Win* —6B **12** (3C **26**)
Southgate Vs. *Win* —4C **26**
South Rd. *Alr* —4D **8**
South St. *Win* —1E **25**
South Vw. *Win* —5A **12** (2A **26**)
South Vw. Gdns. *And* —6B **22**
Southview Pk. Homes. *Win* —4G **15**
S. View Rd. *Win* —4F **15**
South Way. *And* —3D **22**
Southwick Clo. *Win* —1H **11**
South Winchester Golf Course.
—3E **15**
South Wonston. —1C 2
Sparkford Clo. *Win* —1A **16**
Sparkford Rd. *Win* —1A **16**
Sparrowgrove. *Ott* —5C **18**
Sparsholt. —2B 10
Sparsholt La. *Win & Spar* —5A **14**
Spey Ct. *And* —3C **22**
Spicers Ct. *Win* —5B **12** (1B **26**)
Spinney Cvn. Pk., The. *Alr* —3E **9**
Spinney, The. *Comp* —2C **18**
Spitfire End. *Win* —5F **13**
Spitfire Link. *Win* —6F **13**
Springfield Clo. *And* —5D **22**
Spring Gdns. *Alr* —5D **8**
Spring M. *And* —8B **22**
Springvale Av. *King W* —4D **4**
Springvale Rd. *Win* —6D **4**
Spring Way. *Alr* —5E **9**
Spruce Clo. *And* —6E **21**
Spruce Clo. *S Won* —1D **2**
Square, The. *Win* —6C **12** (3D **26**)
Stainers La. *S Won* —1B **2**
(in two parts)
Standon. —5A 14
Stanham Clo. *Wor D* —1H **3**
Stanmore. —2H 15
Stanmore La. *Win* —1G **15**
Staple Gdns. *Win* —5B **12** (2C **26**)
Statham Sq. *And* —2C **22**
Station App. *Alr* —4F **9**
Station App. *And* —5G **21**
Station App. *It Ab* —4E **7**
Station Clo. *It Ab* —4E **7**
Station Hill. *It Ab* —5E **7**
Station Hill. *Win* —5B **12** (1C **26**)
Station Rd. *Alr* —3F **9**
Station Rd. *Win* —5B **12** (1B **26**)
Station Ter. *Shaw* —3E **19**
Stavedown Rd. *S Won* —1B **2**
Stephenson Clo. *And* —4E **21**
Step Ter. *Win* —5A **12** (2A **26**)
Sterling Pk. *And* —4E **21**
Stiles Dri. *And* —5D **22**
Stockbridge Rd. *Good C* —6A **24**
Stockbridge Rd. *Spar* —4A **22** (1A **26**)
Stockbridge Rd. *Win* —1E **11** (1A **26**)
Stockers Av. *Win* —3H **11**
Stockwell Pl. *Spar* —2B **10**
Stoke Charity Rd. *S Won & King W*
—1D **4**
Stoke Rd. *Win* —2C **12**
Stone Clo. *And* —1C **24**
Stonemasons Ct. *Win* —2D **26**
Stoney La. *Win* —3H **11**
Stourhead Clo. *Win* —6G **21**
Stratford Clo. Win —3C 12
(off Northlands Dri.)
Strathfield Rd. *And* —2D **24**

Stratton Rd. *Win* —6D **12**
Stuart Ct. *And* —2A **22**
Stuart Cres. *Win* —1A **16**
Stubbs Ct. *And* —3H **21**
Suffolk Rd. *And* —6H **21**
Sun Hill Cres. *Alr* —5F **9**
Sun La. *Alr* —5F **9**
Sunnybank. *Real P* —6A **20**
Sunnydown Rd. *Win* —4E **15**
Sunnyside Clo. *Charl* —3F **21**
Sussex St. *Win* —5B **12** (2C **26**)
Sutcliffe Sq. And —2C **22**
(off Cricketers Way)
Sutherland Ct. And —4A **22**
(off Artists Way)
Sutton Gdns. *Win* —5C **12** (2D **26**)
Swallowfields. *And* —2B **22**
Swan La. *Win* —5B **12** (1C **26**)
Swanmore Clo. *Win* —2G **11**
Swift Clo. *And* —3B **22**
Swift Clo. *Win* —2H **15**
Sycamore Dri. *King W* —3D **4**
Sycamore Wlk. *And* —1B **24**
Symonds St. *Win* —6C **12** (4D **26**)

Tanner St. *Win* —6C **12** (3E **26**)
Taplings Clo. *Win* —2H **11**
Taplings Rd. *Win* —2H **11**
Taskers Dri. *Anna V* —2A **24**
Tate Sq. *And* —2C **22**
Taylors Corner. *Win* —6D **4**
Technology Cen. & Intech. —6G **11**
Tedder Clo. *And* —6D **20**
Teg Down Meads. *Win* —4F **11**
Telford Ga. *And* —4D **20**
Temple Dri. *Avtn* —6E **7**
Terrace, The. *Estn* —6A **6**
Texas Dri. *Win* —5F **15**
Thistledown Clo. *And* —4G **21**
Thurmond Cres. *Win* —1G **15**
Thurmond Rd. *Win* —1G **15**
Tiberius Rd. *And* —2B **22**
Tichborne Down. *Alr* —5E **9**
Tilden Rd. *Comp* —4D **18**
Tintagel Clo. *And* —2A **22**
Toledo Gro. *And* —4C **22**
Tollgate Rd. *And* —4F **21**
Tourist Info. Cen. —6A **22**
(Andover)
Tourist Info. Cen. —6C **12** (3E **26**)
(Winchester)
Tovey Ct. *And* —4D **22**
Tovey Pl. *King W* —4E **5**
Tower Arts Cen., The. —1F **15**
Tower Clo. *Charl* —2F **21**
Tower Ct. *Win* —5B **12** (1C **26**)
Tower Rd. *Win* —5B **12** (1C **26**)
Tower St. *Win* —5B **12** (2C **26**)
Town Sta. Roundabout. *And* —6A **22**
Trafalgar St. *Win* —6B **12** (3C **26**)
Trajan Wlk. *And* —2B **22**
Traveller's End. *Win* —4H **11**
Treble Clo. *Win* —3F **15**
Trenchard Rd. *And* —5D **20**
Trinity Ri. *Pen M* —1B **20**
Trowbridge Ct. *Win* —2D **26**
Trueman Sq. And —2C **22**
(off Cricketers Way)
Trussell Clo. *Win* —2H **11**
Trussell Cres. *Win* —2H **11**
Tudor Ct. *And* —2A **22**
Tudor Way. *King W* —3D **4**
Turin Ct. *And* —1B **22**
(in two parts)
Turner Ct. *And* —4H **21**

Turnpike Down. *Win* —5E **13**
Twford. —3G **19**
Twyford Ct. *Win* —3C **12**

Ullswater Gro. *Alr* —5F **9**
Union St. *And* —5B **22**
(off East St.)
Union St. *Win* —5D **12** (2F **26**)
Uphill Rd. *Win* —6F **3**
Uplands Rd. *Win* —2A **12**
Up. Brook St. *Win* —6C **12** (3D **26**)
(in three parts)
Upper Clatford. —3C 24
Upper Drove. *And* —5E **21**
Up. High St. *Win* —5B **12** (1B **26**)
Upton Grey Clo. *Win* —2H **11**

Valdean Mobile Home Pk. *Alr* —3F **9**
Valencia Way. *And* —4B **22**
Vale Rd. *Win* —1E **17**
Vale Way. *King W* —2D **4**
Valley Ct., The. *Win* —1H **15**
Valley Mead. *Anna V* —2A **24**
Valley Ri. *Up Cl* —3C **24**
Valley Rd. *Win* —6F **3**
Valley, The. *Win* —1G **15**
Venice Rd. *And* —2B **22**
(in two parts)
Verden Way. *And* —2H **21**
Verity Sq. *And* —2C **22**
Vernham Rd. *Win* —3H **11**
Vespasian Rd. *And* —2B **22**
Vestry Clo. *And* —5H **21**
Vian Pl. *King W* —3E **5**
Victoria Ct. *And* —6H **21**
Victoria Ga. *Win* —4B **12** (1C **26**)
Victoria Rd. *Win* —4B **12** (1C **26**)
Vigo Rd. *And* —5B **22**
Vigo Rd. Roundabout. *And* —5B **22**
Viking Way. *And* —1B **22**
Village St. *Good C* —5E **25**
Villiers Ct. *Win* —3C **26**
Vincent Dri. *And* —6B **22**
Viscount Ct. *And* —4E **23**

Wales St. *Win* —5D **12** (2F **26**)
Walk, The. *Win* —5B **12** (3B **26**)
Walled Mdw. *And* —6B **22**
Walnut Gro. *Win* —4H **11**
Walnut Tree Clo. *S Won* —1C **2**
Walnut Tree Rd. *And* —6H **21**
Walpole Rd. *Win* —2G **15**
Walton Pl. *Win* —2H **15**
Walworth Enterprise Cen. *And* —4D **22**
Walworth Ind. Est. *And* —3F **23**
Walworth Rd. *And & Pic P* —4D **22**
Walworth Roundabout. *And* —4D **22**
Ward Clo. *And* —3A **22**
Warner Ct. Win —3C **12**
(off Northlands Dri.)
Warren Rd. *Win* —5E **13**
Warwick Clo. *Win* —3B **12**
Warwick Ct. Win —3C **12**
(off Northlands Dri.)
Water Clo. *Win* —6C **12** (4E **26**)
Watercress Mdw. *Alr* —5D **8**
Water La. *Abb W* —6F **5**
Water La. *It Sto* —4A **8**
Water La. *Win* —6D **12** (3F **26**)
Waterloo Ct. *And* —6A **22**
Waterloo Ter. *Anna V* —3B **24**
Watermills Clo. *And* —1D **24**
Watersmeet. *Win* —4F **26**

Waterworks Rd. *Ott* —5C **18**
Watery La. *And* —4B **22**
Watery La. *Up Cl* —3C **24**
Watley La. *Spar* —2B **10**
Watley La. *Twy* —3H **19**
Watson Acre. *And* —5G **21**
Watt Clo. *And* —4E **21**
Wavell Way. *Win* —2G **15**
Waverley Dri. *S Won* —1D **2**
Waynflete Pl. *Win* —1G **15**
Weavers Clo. *And* —5B **22**
Webster Rd. *Win* —4F **11**
Wedmore Clo. *Win* —4E **15**
Weeke. —3H 11
Weeke Mnr. Clo. *Win* —3H **11**
Weirs, The. *Win* —4F **26**
Wellesley Ct. *And* —1E **25**
Wellesley Rd. *And* —1E **25**
Well Ho. La. *Win* —6A **4**
Wellington Rd. *And* —4H **21**
Welshers La. *Comp* —1C **18**
Wentworth Grange. *Win* —1A **16**
Wesley Rd. *King W* —4E **5**
Wessex Dri. *Win* —3A **12**
Wessex Gdns. *And* —5H **21**
Westbrooke Clo. *And* —6C **22**
W. End Clo. *Win* —5A **12** (2A **26**)
W. End Ter. *Win* —5A **12** (2A **26**)
Western Av. *And* —5A **22**
Western Rd. *And* —6A **22**
Western Rd. *Win* —5A **12** (1A **26**)
W. Field Rd. *King W* —2E **5**
Westfield Rd. *Win* —6F **3**
West Hayes. *Win* —6H **11**
West Hill. —6B 12
W. Hill Dri. *Win* —5A **12**
W. Hill Pk. *Win* —5H **11**
W. Hill Rd. *S Won* —1D **2**
W. Hill Rd. N. *S Won* —1D **2**
W. Hill Rd. S. *S Won* —1D **2**
Westley. —1A 10
Westley Clo. *Win* —4H **11**
Westley La. *Spar* —1A **10**
Westman Rd. *Win* —3H **11**
Westmarch Bus. Cen. *And* —3B **22**
Westminster Ga. *Win* —2F **15**
West Portway. *And* —3D **20**
West St. *Alr* —3F **9**
West St. *And* —5A **22**
Westview Rd. *Win* —3E **11**
West Way. *And* —4D **22**
Wetherby Gdns. *Charl* —3G **21**
Weyhill. —3A 20
Weyhill Gdns. *W'hll* —4A **20**
Weyhill Rd. *And* —5E **21**
Wharf Hill. *Win* —1D **16**
Wharf Mill. Win —1D *16*
(off Wharf Hill)
Wheatland Clo. *Win* —2H **15**
Whitehill La. *Alr* —5G **9**
White La. *Twy* —1G **19**
White Oak Way. *Anna V* —3A **24**
Whiteshute La. *Win* —3H **15**
(in two parts)
Whittle Rd. *And* —4D **20**
Whynot La. *And* —5G **21**
Wilberforce Clo. *Win* —1G **15**
Willis Waye. *King W* —5D **4**
Willow Clo. *And* —6H **21**
Willows, The. *And* —1D **24**
Winchester. —3A 12
Winchester By-Pass. *Win & King W*
—4B **4**
Winchester By-Pass. *Wor D & Win*
—1F **3**

Winchester Castle Great Hall.
—6B **12** (3C **26**)
Winchester Cathedral.
—6C **12** (3D **26**)
Winchester Cathedral Triforium
Gallery. —6C **12** (4D **26**)
Winchester City Mill. —6D **12** (3F **26**)
Winchester Gallery. —5D **12** (1F **26**)
Winchester Gdns. *And* —1F **25**
Winchester Heritage Cen.
(off Heritage Ct.) —5C **12** (2E **26**)
Winchester Rd. *Alr* —4C **8**
Winchester Rd. *And* —6B **22**
Winchester Rd. *Comp* —1D **18**
Winchester Rd. *Good C & Wher*
—6G **25**
Windermere Gdns. *Alr* —5F **9**
Windsor Ho. *Win* —2F **26**
Windsor Rd. *Alr* —5E **9**
Windsor Rd. *And* —5H **21**
Winnall Clo. *Win* —4E **13**
Winnall Mnr. Rd. *Win* —5E **13**
Winnall Moors Nature Reserve.
—5D **12** (1F **26**)
Winnall Trad. Est. *Win* —4E **13**
(Easton La.)
Winnall Trad. Est. *Win* —5E **13**
(Winnall Valley Rd.)
Winnall Valley Rd. *Win* —5E **13**
Winslade Rd. *Win* —1G **11**
Winterdyne M. *And* —6H **21**
Winton Chase. *And* —5C **22**
Winton Clo. *Win* —3B **12**
Wisley Rd. *And* —6F **21**
Witan Clo. *And* —1B **22**
Witton Hill. *Alr* —5E **9**
Wolfe Clo. *Win* —2G **15**
Wolversdene Clo. *And* —6C **22**
Wolversdene Gdns. *And* —6C **22**
Wolversdene Rd. *And* —6B **22**
Wolvesey Castle. —6C 12 (4E **26**)
Wolvesey Palace. —6C 12 (4E **26**)
Wolvesey Ter. *Win* —1D **16**
Woodfield Dri. *Win* —1F **15**
Woodgreen Rd. *Win* —1H **11**
Woodland Drove. *Col C* —6G **19**
Woodlands Ct. *Win* —4C **12**
Woodlands, The. *King W* —5E **5**
Woodlands Way. *And* —5C **22**
Woodlea Clo. *Win* —3A **12**
Woodman Clo. *Spar* —3B **10**
Woodman La. *Spar* —2B **10**
Woodpeckers Dri. *Win* —3G **11**
Woolford Clo. *Win* —1G **15**
Wool Gro. *And* —6C **22**
Woolley Sq. *And* —2C **22**
Woolverton. *Win* —4H **11**
Wordsworth Clo. *Win* —5H **11**
Worrell Sq. And —2C **22**
(off Cricketers Way)
Worthy La. *Win* —4B **12** (1C **26**)
Worthy Rd. *Win* —4C **12**
Wren Clo. *Win* —2H **15**
Wrights Clo. *S Won* —1C **2**
Wrights Way. *S Won* —1C **2**
Wye Ct. *And* —3C **22**
Wykeham Ind. Est., The. *Win* —3E **13**
(in two parts)
Wykeham Pl. *Win* —1H **15**
Wyndham Rd. *And* —1C **24**

Yew Hill. —5E **15**
Yew Tree Clo. *Good C* —6E **25**
York Ct. *And* —2A **22**

Every possible care has been taken to ensure that the information given in this publication is accurate and whilst the publishers would be grateful to learn of any errors, they regret they cannot accept any responsibility for loss thereby caused.

The representation on the maps of a road, track or footpath is no evidence of the existence of a right of way.

The Grid on this map is the National Grid taken from Ordnance Survey mapping with the permission of the Controller of Her Majesty's Stationery Office.